ÉTONNANTS•C

Les Textes fondateurs

Présentation, choix des extraits, notes et dossier par
CHRISTIAN KEIME,
agrégé de lettres classiques

Flammarion

L'Antiquité et les textes fondateurs dans la collection « Étonnants Classiques »

APULÉE, *Amour et Psyché*
Contes de l'Égypte ancienne (anthologie)
HOMÈRE, *Les Aventures extraordinaires d'Ulysse* (chants VIII à XII de l'*Odyssée*)
L'Iliade
L'Odyssée
OVIDE, *Les Métamorphoses*
Les Textes fondateurs (anthologie)
TITE-LIVE, *La Fondation de Rome*
VIRGILE, *L'Énéide*
Vivre au temps des Romains (anthologie)

Édition revue, 2013.
ISBN : 978-2-0813-1485-6
ISSN : 1269-8822

SOMMAIRE

Les Textes fondateurs

LA MYTHOLOGIE DES GRECS ET DES ROMAINS

LA BIBLE DES JUIFS ET DES CHRÉTIENS

RÉSENTATION

Qu'est-ce qu'un texte fondateur ?

Des héros et des textes très différents

Pourquoi réunir dans un même recueil Hercule, Énée, Noé et le Christ ? Apparemment, tout les oppose – leurs caractères, leurs cultures, leurs époques –, et les textes qui les racontent sont écrits dans des langues aussi différentes que le grec, le latin et l'hébreu. Mais, en réalité, tous ces personnages vivent sensiblement la même histoire.

Divines aventures

Ils partagent d'abord le même privilège : vivre près des dieux. Qu'ils soient leurs enfants – comme les héros grecs et romains, ou encore Jésus de Nazareth –, leurs interprètes parmi les hommes – comme les prophètes Abraham et Moïse –, ils les voient, parlent avec eux et, à la faveur de leur protection, vivent des aventures incroyables. Ils affrontent des monstres coiffés de serpents, traversent des mers à pied sec, ressuscitent les morts et descendent aux Enfers.

Un peu d'histoire, beaucoup de littérature

On ne peut pas lire ces textes comme des histoires vraies. Cependant, tout n'y est pas inventé. Toujours différente de l'histoire des historiens, la légende, même la plus extravagante, est toujours, secrètement, en lien avec elle : on a retrouvé en Turquie la ville de Troie[1] où Homère situe les combats furieux d'Achille et d'Hector, et les voyages d'Abraham et de Moïse rendent peut-être compte de très anciennes migrations du peuple juif entre la Mésopotamie et l'Égypte[2]. Sur ce fond de réalité, des auteurs ont récrit l'histoire et, à mesure que leurs récits se sont transmis de génération en génération, les héros sont devenus un peu plus braves et un peu mieux guidés par le destin ou par les dieux. Peu à peu, la réalité s'est transformée en ce que les Grecs appelaient des *mythes*, mot qui signifie à la fois « histoire » et « mensonge ». Pourquoi raconter des mythes ?

Amuser, louer, convaincre

Rien de tel qu'un mythe pour divertir un public en mal de sensations fortes. Dans une Antiquité sans télévision ni moyens de transport rapides, on savait, pour s'évader, se raconter au coin du feu des combats et des voyages extraordinaires. Mais ce n'était pas au hasard que le conteur peuplait son récit de sirènes, de monstres et de dieux : il cherchait toujours à valoriser un héros bien particulier auquel son public aimait s'identifier. Pour le rendre plus grand, il fallait lui donner des pouvoirs toujours plus magiques et des monstres toujours plus terribles à anéantir. Dans certains cas, ce héros dont on faisait la louange était aussi porteur d'un enseignement, moral ou religieux ; on cherchait alors à en convaincre un public sans cesse plus large. Là encore, pour mieux persuader, il fallait émerveiller : si un héros revenait de chez les morts, tuait des monstres, ou parlait avec les dieux, ce qu'il disait avait forcément une valeur immense. Tous ces mythes sont donc à la fois des romans, des louanges et des articles de foi.

---

1. Voir carte p. 12.
2. Voir carte p. 114.

Héros fondateurs, textes fondateurs

Que l'on soit dieu ou homme, devenir un héros de mythe se mérite : il faut avoir fondé quelque chose. Avoir créé la totalité du monde, comme le dieu tout-puissant de l'Ancien Testament, ou au moins être à l'origine de l'une des parties de la Création, comme les malheureux héros des *Métamorphoses* d'Ovide transformés en plantes, en animaux ou en étoiles. Le héros peut aussi avoir construit une ville (Romulus), être le père d'un peuple (Abraham) ou simplement être un ancêtre prestigieux auquel toute une nation rêve de ressembler : Ulysse était pour les Grecs le modèle de la ruse, et Achille celui de la vaillance. D'autres encore, comme Héraclès ou Thésée, en tuant des monstres ou des brigands qui faisaient le malheur des peuples, donnèrent aux hommes un espace où ils purent vivre sans peur : ceux-là ne fondèrent rien de moins que la civilisation. D'autres enfin, comme le Christ, en fondant une religion, devinrent des modèles à suivre pour des générations de croyants.

De tous ces personnages, les hommes ont retenu l'histoire car elle leur expliquait un peu mieux leur environnement et leur identité. Elle leur offrait même un modèle de conduite à suivre pour l'avenir. Aussi ancien soit-il, le texte fondateur est toujours d'actualité.

Des récits dépassés ?

Est-ce bien le cas pour nous, Français du XXIe siècle, qui ne parlons plus ni grec ni latin, qui ne sacrifions plus de vaches blanches à Hercule et qui, à la lumière des découvertes scientifiques des derniers siècles, ne croyons plus à ce que la Bible et les *Métamorphoses* d'Ovide nous disent de la création du monde ? Quel est l'intérêt de connaître la vie de Moïse et celle de Jésus pour celui qui, par exemple, n'est ni juif ni chrétien ?

Que l'on croie ou non dans ces textes, nos ancêtres, eux, y croyaient et les aimaient. C'est pourquoi le patrimoine qu'ils nous ont légué et que nous côtoyons tous les jours est plein de ces vieilles histoires.

Ce patrimoine, c'est notre façon de parler et de penser, les pierres de nos villes, nos œuvres d'art et notre histoire. On parle machinalement du « talon d'Achille », cette partie fragile par laquelle périt ce héros que les Grecs pensaient invincible ; et la construction d'une autoroute ou d'un métro est toujours l'occasion de retrouver les fondations d'une villa romaine ou d'exhumer des fragments de vases grecs sur lesquels des artistes ont peint des scènes mémorables de la mythologie. Dans nos grandes villes, le bâtiment le plus imposant demeure souvent la cathédrale, sur le portail de laquelle on trouve très fréquemment sculpté le récit de la création du monde que rapporte la Bible. C'est encore ce livre qu'il faut connaître pour comprendre l'enthousiasme des chevaliers du Moyen Âge partis en croisade pour libérer le tombeau du Christ. Enfin, ces récits anciens continuent de nourrir la création des artistes de notre époque : indémodables, ils demeurent des histoires fantastiques dont peintres, chanteurs, cinéastes et créateurs de jeux vidéo ne cessent de s'inspirer.

Une chose étonne cependant : aucun de ces textes devenus si essentiels pour la culture française n'est né en France – venus d'Italie, de Grèce, de Palestine et peut-être de plus loin encore, tous ont fini par s'imposer comme les fondements de notre patrimoine.

NOTE SUR LA PRÉSENTE ÉDITION : nous avons choisi de proposer les extraits les plus connus de cette littérature immense dans une traduction accessible à tous et parfois adaptée, c'est-à-dire simplifiée (et/ou abrégée) dans le respect du style original.

Pour faciliter le repérage dans le temps et dans les textes, nous avons réuni à la fin de l'édition une « Chronologie du monde gréco-romain » et une « Histoire du peuple juif et de la Bible », ainsi qu'un index des divinités, monstres et autres êtres fabuleux de la mythologie gréco-romaine, accompagné d'une petite géographie des Enfers (voir p. 185 à 190).

Les Textes fondateurs

■ La Grèce antique.

La mythologie des Grecs et des Romains

I. La naissance du monde
(Apollodore, *Bibliothèque*, et Ovide, *Métamorphoses*)

Un monde plein de dieux

D'où viennent les arbres, les montagnes, les hommes ? Pourquoi certains rochers renvoient-ils en écho les cris des promeneurs ? Pour les Grecs et les Romains de l'Antiquité, aucun doute : il y a des dieux là-dessous.
Les dieux sont innombrables et, bien qu'ils soient immortels, ce ne sont pas des créatures de l'au-delà : vivant dans le monde, ils en représentent les différentes parties, comme la Terre ou les fleuves, quand ils n'incarnent pas des réalités plus abstraites comme l'intelligence ou la guerre. En outre, ils n'hésitent pas à se mêler des affaires des hommes, se prenant d'amour ou de haine pour certains d'entre eux. Cette vision des choses est caractéristique des religions qu'on appelle polythéistes – du grec *poly* (« plusieurs ») et *théos* (« dieu »).
Pour les Grecs et les Romains, raconter la naissance du monde, c'est donc raconter celle des dieux. C'est aussi rapporter quelques tristes métamorphoses infligées aux êtres humains qu'ils ont trop aimés ou trop haïs.

De capricieux poètes

Les Grecs et les Romains n'ont pas de Bible ni de Coran – un livre unique qui exposerait une vérité sur leur religion. Leurs mythes n'appartiennent à aucun prophète[1], à aucun apôtre[2]. Transmis oralement depuis des temps très anciens, leur origine s'est oubliée : chacun les raconte et les transforme à sa fantaisie.

Apollodore et Ovide

Chez les Grecs, Apollodore est moins célèbre qu'Homère, Hésiode ou d'autres grands poètes, mais on lui a attribué la réunion de tous les mythes rapportés par ces auteurs dans une sorte d'encyclopédie : la *Bibliothèque*. Nous ne savons rien de la vie d'Apollodore : peut-être vécut-il en Asie au Ier ou au IIe siècle apr. J.-C.

Chez les Romains, c'est le poète Ovide (43 av. J.-C.-17 apr. J.-C.) qui parla le plus longuement des dieux et des héros. Il vécut sous le règne florissant de l'empereur Auguste et obtint un grand succès dans l'aristocratie romaine en écrivant des poèmes galants, qui célèbrent l'amour et livrent de précieux conseils aux jeunes gens pour conquérir le cœur de leurs belles. À l'âge de cinquante ans, il dut subitement quitter Rome sur l'ordre de l'empereur qui le jugeait trop dévergondé. Il fut contraint de finir ses jours en exil, loin des siens, sur les bords de la mer Noire.

Quand il apprend sa disgrâce brutale, en l'an 8 de notre ère, il vient à peine d'achever les *Métamorphoses*, poème mythologique de douze mille vers qu'il considère comme son chef-d'œuvre : il y raconte les multiples transformations que les dieux se sont plu à opérer sur eux-mêmes ou sur les mortels.

Dieux grecs, dieux romains

Pour écrire ses *Métamorphoses*, Ovide s'est inspiré d'auteurs grecs, car la religion des Grecs et des Romains est quasiment identique.

---

1. ***Prophète*** : homme qui interprète la volonté d'un dieu, qui parle en son nom.

2. ***Apôtre*** : disciple de Jésus-Christ, qui transmet son message.

Apollodore et Ovide parlent donc des mêmes dieux, à ceci près que les noms ne sont pas toujours les mêmes. Par exemple, celui que les Grecs appellent *Zeus* se nomme *Jupiter* à Rome.

Cronos, un père trop gourmand

Au commencement du monde, il n'y a rien d'autre que le Chaos, espèce d'immense trou noir où tous les éléments sont mélangés. Du Chaos sort d'abord Gaia (« Terre », en grec) qui enfante d'elle-même Ouranos (« Ciel »). D'Ouranos et Gaia, premier couple divin, naissent des monstres à la force redoutable, munis de cent bras (les Cent-Bras) ou d'un œil unique au milieu du front (les Cyclopes), ainsi que les douze Titans, dont Océan, Cronos et Rhéa.
Trouvant tous ces enfants trop encombrants, Ouranos les repousse au fond du ventre de leur mère. Puis il les enchaîne dans le sombre Tartare, la partie des Enfers réservée aux criminels.

Gaia, indignée par la perte de ses fils précipités dans le Tartare, persuade les Titans d'attaquer leur père et donne à Cronos une faucille d'acier. Ils l'attaquent, sauf Océan, et Cronos coupe les parties[1] à son père et les jette dans la mer. Ayant chassé leur père
5 du pouvoir, ils firent remonter leurs frères qui avaient été précipités dans le Tartare et ils remirent le pouvoir à Cronos.

Mais Cronos, de nouveau, les enchaîna et les enferma dans le Tartare. Puis, après avoir épousé sa sœur Rhéa, comme Gaia et Ouranos lui prédisaient qu'il serait dépouillé du pouvoir
10 par son propre enfant, il se mit à avaler sa progéniture[2]. Il avala la première-née, Hestia, puis Déméter et Héra[3], et, après elles, Pluton et Poséidon.

Apollodore, *Bibliothèque*, livre I, chapitres 3-5.

---

1. ***Parties*** : organes sexuels.
2. ***Sa progéniture*** : ses enfants.
3. ***Hestia*** : déesse du foyer. ***Déméter*** : déesse des moissons. ***Héra*** : déesse du mariage.

Zeus s'empare du pouvoir

Rhéa, furieuse de ces actes, se rend en Crète*[1] quand elle se trouve enceinte de Zeus, et elle met Zeus au monde dans une grotte du mont Dictè*. Elle le donne à élever aux Courètes[2] et à des nymphes[3] : Adrastéia et Idè. Celles-ci nourrissaient l'enfant avec le lait de la chèvre Amalthée, tandis que les Courètes, en armes, gardaient le nourrisson dans la grotte et choquaient leurs lances contre leurs boucliers pour que Cronos n'entende pas la voix de l'enfant. Rhéa, ayant emmailloté[4] une pierre, la donna à avaler à Cronos comme si c'était le nouveau-né.

Lorsque Zeus fut devenu adulte, il prend comme complice Métis[5], la fille d'Océan, et celle-ci fait avaler à Cronos une drogue qui l'oblige à vomir d'abord la pierre et ensuite les enfants qu'il avait avalés. Avec eux, Zeus mena la guerre contre Cronos et les Titans.

Comme ils se battaient depuis dix ans, Gaia prophétisa[6] à Zeus la victoire, s'il prenait pour alliés ceux qui avaient été jetés dans le Tartare. Il tua Campè, qui surveillait leur prison, et les délivra.

Les Cyclopes donnent alors à Zeus le tonnerre, l'éclair et la foudre, à Pluton le casque[7] et à Poséidon le trident[8]. Munis

---

1. Les astérisques renvoient aux cartes des différentes sections du volume. Dans chacune d'entre elles, ils renvoient à la carte qui précède l'occurence ainsi signalée.

2. ***Courètes*** : serviteurs de Rhéa.

3. ***Nymphes*** (du grec ***nymphè***, «jeune fille») : divinités des arbres, des montagnes et des rivières.

4. ***Emmailloté*** : enveloppé dans un tissu.

5. ***Métis*** : déesse dont le nom signifie «intelligence» en grec.

6. ***Prophétisa*** : prédit.

7. Ce casque rend Pluton invisible, comme les âmes des morts sur lesquelles il règne.

8. ***Trident*** : fourche à trois pointes avec laquelle le dieu frappe les rochers pour en faire jaillir des sources.

de ces armes, ils triomphent des Titans. Après les avoir enfermés dans le Tartare, ils leur donnèrent pour gardes les Cent-Bras. Quant à eux, ils se partagent le pouvoir par tirage au sort. Zeus obtient la souveraineté[1] sur le ciel, Poséidon sur la
25 mer et Pluton sur le séjour d'Hadès[2].

Apollodore, *Bibliothèque*, livre I, chapitres 6-7.

La naissance d'Athéna

Maître du ciel, Zeus détient l'arme suprême, la foudre, dominant ainsi le monde et les autres dieux. Il établit sa demeure au sommet du mont Olympe* où, comme un roi tient sa cour, il s'entoure des principaux dieux, appelés pour cette raison « dieux olympiens ». Parmi eux, il prend pour épouse sa sœur Héra, mais c'est de Métis, la fille d'Océan, qu'il conçoit son enfant chérie : Athéna, déesse guerrière et rusée, patronne de la cité d'Athènes* qui domina un temps la Grèce et le monde méditerranéen. Le récit de la naissance d'Athéna est pour le moins singulier.

Zeus s'unit à Métis, bien qu'elle prenne de nombreuses formes pour se dérober à son étreinte[3]. Lorsqu'elle est enceinte, prenant les devants, il l'avale : elle disait en effet qu'après la fille qui allait naître d'elle, elle donnerait naissance à un fils
5 qui deviendrait le maître du ciel. Craignant cette éventualité, il l'avala. Quand le moment de la naissance se présenta, Prométhée frappa [la tête de Zeus] d'un coup de hache et, de son crâne, près du fleuve Triton, Athéna jaillit tout armée.

Apollodore, *Bibliothèque*, livre I, chapitre 20.

---

1. ***Souveraineté*** : pouvoir.
2. ***Hadès*** : autre nom de Pluton, dieu grec des morts ; le « séjour d'Hadès » désigne donc le séjour des morts, ou Enfers.
3. ***Étreinte*** : action d'embrasser.

Prométhée et la création des hommes

Fils du Titan Japet, Prométhée est lui aussi, comme son nom l'indique, un dieu plein de « métis » – c'est-à-dire d'intelligence –, et cela est bien heureux pour l'espèce humaine...

Prométhée, après avoir façonné les hommes avec de l'eau et de la terre, leur donna aussi le feu, qu'à l'insu de[1] Zeus il avait caché dans une férule[2]. Quand Zeus s'en aperçut, il ordonna à Héphaïstos[3] de clouer son corps sur le mont Caucase, une 5 montagne de Scythie[4]. Prométhée resta cloué sur ce mont pendant de longues années et chaque jour un aigle venait en volant dévorer les lobes[5] de son foie, qui repoussait pendant la nuit. Tel fut le châtiment subi par Prométhée pour avoir dérobé le feu, jusqu'à ce que, plus tard, Héraclès[6] le délivrât.

Apollodore, *Bibliothèque*, livre I, chapitres 45-46.
Pour tous les extraits de la *Bibliothèque* d'Apollodore : éd./trad. Jean-Claude Carrière, Bertrand Massonie,

abrégée par endroits pour la présente édition.

La métamorphose d'Écho et Narcisse

Une fois qu'ils ont été créés, les hommes n'ont pas tous la chance de rester hommes ! Par la volonté des dieux, certains sont transformés en animaux, en plantes, ou retournent à l'état minéral d'où Prométhée les a extraits. L'une des plus célèbres métamorphoses est celle de deux jeunes gens, victimes, comme tous les héros d'Ovide, de l'amour qu'ils éprouvent ou qu'ils font naître.

---

1. ***À l'insu de*** : en cachette de.
2. ***Férule*** : tige creuse utilisée pour transporter le feu.
3. ***Héphaïstos*** : dieu forgeron, fils de Zeus et Héra.
4. ***Scythie*** : région située au nord-est du Pont-Euxin.
5. ***Lobes*** : parties arrondies d'un organe.
6. ***Héraclès*** : héros, fils de Zeus et d'Alcmène. Voir p. 32.

Quand Liriopé, la nymphe aux cheveux couleur d'eau, mit son enfant au monde, elle le trouva si beau qu'elle alla aussitôt consulter un devin. Elle désirait savoir si son fils vivrait de longues années heureuses. « Narcisse vivra tant qu'il ne se 5 connaîtra pas », répondit le devin. Personne alors ne comprit le sens de ses paroles.

Narcisse atteignit l'âge de seize ans. Il avait encore le charme de l'enfance et déjà la fière allure d'un jeune homme. Tous ceux qui le voyaient l'aimaient. Mais son orgueil était 10 grand et il demeurait insensible.

Un jour, la nymphe Écho l'aperçut à la chasse et tomba éperdument amoureuse. Elle le suivit, cachée derrière les arbres, et plus elle le regardait, plus son cœur s'enflammait. Comme elle aurait voulu pouvoir s'adresser à lui, lui parler 15 d'une voix caressante ! Mais parce qu'elle avait été complice de ses sœurs, les nymphes qui folâtraient[1] en compagnie de Jupiter, Écho s'était attiré la haine de Junon[2]. La déesse l'avait condamnée à n'ouvrir la bouche que pour répéter les paroles qu'elle venait d'entendre.

20 Narcisse, ce jour-là, s'inquiétait : ses fidèles compagnons de chasse l'avaient laissé seul.

« Y a-t-il ici quelqu'un ? dit-il.

– Si, quelqu'un », répondit Écho.

Étonné, Narcisse se retourna.

25 « Viens ! cria-t-il de toutes ses forces.

– Viens ! cria la nymphe à son tour.

– Pourquoi me fuis-tu ? poursuivit-il en regardant de tous côtés.

---

1. ***Folâtraient*** : s'amusaient.
2. ***Junon*** : nom romain d'Héra, femme de Zeus (Jupiter dans la mythologie romaine).

– Me fuis-tu ? reprit Écho.

– Viens donc. Réunissons-nous, continua Narcisse.

– Unissons-nous ! » dit la nymphe, heureuse de pouvoir enfin exprimer ses sentiments, et elle sortit de sa cachette et s'avança vers le jeune homme, prête à lui jeter ses bras autour du cou.

« Arrête ! s'écria Narcisse. Ne me touche pas ! Que la mort me prenne avant que je m'abandonne à toi ! »

Sur ces mots, il s'enfuit.

« Je m'abandonne à toi », murmura tristement la nymphe en écho, et elle retourna dans les bois.

Depuis, elle vit solitaire, retirée dans des grottes, le visage dissimulé sous le feuillage, dédaignée[1], honteuse, et pourtant toujours amoureuse. Le chagrin a rongé son corps, qui s'est dissous. Ne lui restent plus que les os, devenus des rochers, et la voix toujours vivante, que les promeneurs entendent, quand ils parlent, dans la forêt.

Écho n'était pas la seule à souffrir des manières orgueilleuses du jeune homme. Tant de jeunes femmes étaient victimes de son dédain[2] que Némésis, la déesse de la justice impitoyable[3], décida de les venger et de punir Narcisse.

Il y avait dans la montagne une source aux eaux si calmes et si limpides que sa surface luisait comme une plaque d'argent. Jamais les bergers n'y avaient conduit leurs troupeaux, jamais même elle n'avait été effleurée par l'aile d'un oiseau, le mufle[4] d'une bête sauvage, une simple branche couverte de feuillage. Ses bords étaient tapissés de gazon et la forêt les protégeait de l'ardeur du soleil. Ce fut au bord de cette source qu'un jour Narcisse s'arrêta.

---

1. ***Dédaignée*** : méprisée.
2. ***Dédain*** : mépris.
3. ***Impitoyable*** : sans pitié.
4. ***Mufle*** : extrémité du museau.

Fatigué par la chasse, accablé par la chaleur, il se laissa tomber sur la rive et se mit à boire. S'il étancha[1] sa soif, ce jour-là, il devait bientôt connaître, pour son malheur, une 60 autre soif, une soif inextinguible[2], que rien, jamais, ne devait apaiser.

Ayant bu tout son saoul[3], Narcisse regarda l'eau. Il vit un corps charmant, deux yeux brillants, des joues lisses, un cou d'ivoire, un teint de rose et de neige. Comme cet être était 65 beau ! Aussi beau qu'une statue de marbre ! Il l'admirait, il l'aimait, il l'aimait passionnément… sans comprendre que cet être, c'était son propre reflet.

Couché sur la rive, il lui donnait des baisers, il plongeait ses bras dans l'eau pour l'enlacer. Pauvre Narcisse ! Fol[4] 70 enfant ! Pourquoi t'entêter à saisir une image ? Si seulement tu t'éloignais de quelques pas, l'image s'éloignerait, elle aussi. Mais tu n'en es pas capable !

Rien, ni la faim ni le sommeil, ne parvint à arracher Narcisse à sa fascination. Pendant des jours et des jours, étendu de tout 75 son long, il ne pouvait détourner les yeux du miroir liquide, et ces yeux causaient sa perte.

Enfin il se souleva légèrement et s'adressa aux arbres.

« Ô forêts, vous qui êtes, depuis tant de siècles, le refuge des amoureux, avez-vous connu parmi eux quelqu'un qui ait 80 souffert plus que moi ? J'aime, je vois celui que j'aime et je ne peux pas l'atteindre. Et ce qui nous sépare, ce n'est pas l'immensité de la mer, ce ne sont ni des routes, ni des montagnes, ni des murailles… Non, c'est une mince couche d'eau !

---

1. ***Étancha*** : apaisa.
2. ***Inextinguible*** : qu'on ne peut calmer.
3. ***Tout son saoul*** : autant qu'il le désirait.
4. ***Fol*** : fou.

«Pourtant, j'en suis sûr, celui que je vois devant moi m'aime, lui aussi. Chaque fois que je veux l'embrasser, il avance les lèvres… Qui que tu sois, enfant chéri, viens, sors de là… Pourquoi te moques-tu de moi ? Je ne suis pas d'un âge, ni d'un air, à faire fuir ceux qui me recherchent. Sais-tu que bien des nymphes m'ont poursuivi de leurs avances[1] ?

«Mais je vois l'espoir poindre[2] sur ton visage. Je te tends les bras, tu me les tends aussi. Je souris, tu souris. J'ai même vu couler tes larmes quand je pleurais… Je te parle et tu parles, je le devine aux mouvements de ta bouche, bien que je n'entende pas tes paroles…

«Ah ! mais j'ai compris ! Tu n'es rien d'autre que moi-même ! Ma propre image… Je ne m'y tromperai plus. C'est pour moi que j'éprouve de l'amour, c'est moi qui suis la cause de ma souffrance, c'est moi qui souffre… Que faut-il que je fasse ? Ce que je désire si fort, je l'ai en moi… Si seulement je pouvais me séparer de mon corps… Quel souhait bizarre ! Vouloir être séparé de celui qu'on aime !…

«Mais je n'ai plus de force. Je souffre trop. Je n'ai plus beaucoup de temps à vivre. Je vais mourir en pleine jeunesse. Tant mieux ! Si je meurs, je ne souffrirai plus.

«Pourtant pour lui… celui que j'aime… j'aurais souhaité une vie plus longue. Lui et moi… tous les deux… nous pousserons… notre dernier soupir… ensemble.»

Narcisse pleurait en retournant à sa contemplation[3]. Il pleurait tellement que ses larmes troublèrent la surface de l'eau et brouillèrent son image.

1. ***Avances*** : propositions amoureuses.
2. ***Poindre*** : apparaître.
3. ***Contemplation*** : observation admirative et rêveuse.

« Où vas-tu ?… Reste, ne m'abandonne pas, méchant, moi qui t'aime tant ! Ce que je ne peux pas toucher, laisse-moi au moins le regarder ! Et tant pis si cela redouble ma folie… ma tristesse ! »

Narcisse gémissait. Il déchira le haut de sa tunique, se frappa la poitrine, marbrant[1] sa peau blanche de meurtrissures[2] roses. Comme l'eau était redevenue calme, il voulut encore se regarder. C'était plus qu'il n'en pouvait supporter. N'ayant ni dormi, ni bu, ni mangé depuis tant de jours, il avait perdu ses forces, sa grâce[3], et la mort était proche. Épuisé, amaigri, le teint blafard[4], il gisait[5]. Que restait-il de la beauté de ce corps jadis tant aimé par Écho ?

La nymphe n'avait pas oublié sa rancœur[6]. Pourtant, en voyant le jeune homme dans un tel état, elle éprouva de la peine. Elle fit écho à ses gémissements, aux faibles coups qu'il se donnait encore. Quand, pour la dernière fois, il plongea ses yeux dans l'eau familière et murmura : « Enfant chéri… hélas… toi que j'ai aimé… vainement ! » elle répéta fidèlement ses paroles.

« Adieu », soupira-t-il.

« Adieu », soupira-t-elle.

Narcisse laissa aller sa tête lasse sur l'herbe verte. Enfin la nuit ferma ses yeux, ces yeux qu'il avait tant aimés.

Même quand il se trouva dans le séjour des Morts, il continua à se regarder dans l'eau du Styx, le fleuve infernal[7].

---

1. ***Marbrant*** : traçant des zébrures sur.
2. ***Meurtrissures*** : légères blessures.
3. ***Sa grâce*** : son charme.
4. ***Blafard*** : pâle.
5. ***Il gisait*** : il était étendu, sans mouvement.
6. ***Rancœur*** : rancune, souvenir d'un outrage subi.
7. ***Fleuve infernal*** : fleuve qui entoure le royaume des Enfers, où vont les âmes après la mort ; il est appelé Styx.

Narcisse fut pleuré par les nymphes des sources et des arbres. Écho reprenait leurs plaintes.

Elles déposèrent leurs cheveux coupés sur sa tombe et commencèrent les préparatifs du deuil. Elles dressèrent le 140 bûcher, secouèrent les torches, préparèrent la civière[1] sur laquelle déposer le corps.

Mais le corps avait disparu. À sa place avait poussé une fleur, jaune, couleur de safran[2], d'où rayonnent des pétales blancs.

Un narcisse.

Ovide, *Métamorphoses*, livre III, adaptation Françoise Rachmühl,

II. Quand les héros affrontent les monstres (Apollodore, *Bibliothèque*, et Ovide, *Métamorphoses*)

L'âge des héros

Après avoir raconté la création du monde et la répartition des pouvoirs entre les multiples dieux, les mythes parlent des hommes assez extraordinaires pour qu'on s'intéresse à eux : les héros. Selon les Anciens, l'âge héroïque fut très bref – pas plus de trois générations –, mais laissa aux hommes qui suivirent un souvenir glorieux, mêlé de nostalgie. Qu'est-ce qu'un héros ?

Un dieu dans la famille

Le héros se distingue d'abord de l'humanité commune par son origine : lui-même est mortel, mais il a un dieu parmi ses parents ou ses ancêtres. Du sang divin qui coule dans ses veines, il tire une

1. ***Civière*** : brancard.
2. ***Safran*** : jaune orangé.

qualité exceptionnelle : la force invincible pour Héraclès, l'audace et la séduction pour Thésée, les charmes de la poésie pour Orphée, la ruse pour Persée.

D'incroyables exploits

On ne naît pas héros : on le devient en faisant bon usage de ses qualités hors du commun, pour relever d'impossibles défis où tous les autres auparavant ont trouvé la mort. La grande affaire de la première génération des héros de la mythologie est d'affronter des monstres réputés invincibles.

Une gloire impérissable

L'exploit ne vaut rien s'il ne laisse pas de traces utiles et durables : partout où le héros passe, la civilisation avance, une ville est fondée, un chemin est nettoyé de ses monstres et de ses brigands, un art est inventé. Même si le héros meurt, il est immortalisé dans la mémoire des hommes et dans les mythes qui le racontent.

Orphée aux Enfers

Orphée vit en Thrace*, dans la tribu des Cicones. De son père, le dieu Apollon, il a hérité un talent exceptionnel pour la musique : son chant, qu'il accompagne de la cithare[1], est si envoûtant qu'il attire à sa suite les animaux sauvages, les pierres et les arbres.
Le jour de ses noces avec la belle Eurydice, dont il est fou amoureux, son bonheur est au comble. Mais, brusquement, comme le raconte ici le poète latin Ovide, la fête tourne court.

Comme Eurydice, la jeune épousée, jouait dans les prés avec les nymphes des eaux, ses compagnes, un serpent la piqua au talon et elle mourut.

---

1. ***Cithare*** : instrument à cordes, ancêtre de la guitare.

Orphée la pleura longuement sur la Terre et, quand il l'eut assez pleurée, il partit la chercher au royaume des Ombres[1]. Il descendit jusque sur les bords du Styx et fendit la foule légère des Morts, pour s'approcher de Proserpine[2] et implorer[3] Pluton, le dieu qui règne en maître dans les Enfers.

Le poète préluda[4] sur sa lyre[5] et se mit à chanter :

« Ô vous, dieux du monde souterrain, dieux auxquels nous appartiendrons tous un jour, puisque nous sommes tous promis à la mort, permettez-moi de vous parler avec franchise. Je ne suis pas venu pour connaître le sombre séjour, ni pour enchaîner les trois cous de Cerbère[6], le fils monstrueux de Méduse. Je suis venu pour mon épouse. Le serpent sur lequel elle a posé le pied a interrompu le cours de sa vie. J'ai perdu Eurydice.

« J'ai essayé de supporter sa perte, je n'ai pas pu : l'Amour m'a vaincu. L'Amour est un dieu bien connu là-haut sur la Terre, mais vous, le connaissez-vous ?... Sans doute... Ne dit-on pas que Pluton a enlevé Proserpine par amour ? C'est donc l'amour qui unit le roi et la reine des Enfers.

« Je vous en prie, au nom de ce lieu plein d'épouvante, au nom de ce vaste chaos, au nom de ce royaume du silence, faites qu'Eurydice me soit rendue et qu'elle achève sur la Terre sa vie jusqu'au bout. Je sais que tout vous est soumis, que

---

1. ***Royaume des Ombres*** : royaume des morts, ou Enfers. Les Grecs et les Romains considèrent les âmes des morts comme de pâles reflets de leurs corps vivants.
2. ***Proserpine*** : fille de Déméter, enlevée du monde des vivants par Pluton pour devenir son épouse.
3. ***Implorer*** : supplier.
4. ***Préluda*** : joua une introduction.
5. ***Lyre*** : synonyme de cithare (voir note 1, p. 25).
6. ***Cerbère*** : chien monstrueux gardant l'entrée des Enfers. Il a trois têtes, une crinière et une queue de serpent.

nous devons tous aboutir ici, que cette demeure est pour nous la dernière et que c'est vous qui régnez le plus longtemps sur les humains. Quand Eurydice aura vécu son compte d'années, elle obéira à vos lois. Je demande simplement qu'elle vive encore un peu pour moi.

« Si vous me refusez cette grâce[1], je ne retournerai pas sur mes pas : je resterai ici et vous pourrez vous réjouir de notre double mort, à Eurydice et à moi. »

Le chant d'Orphée était si touchant, le son de sa lyre si beau qu'autour de lui pleuraient les Ombres pâles.

Les supplices des criminels, qui expiaient leurs fautes[2] dans les Enfers, s'interrompirent.

Quant à Pluton et à sa royale épouse, ils n'eurent pas le cœur de s'opposer à la demande du poète. Ils appelèrent Eurydice.

Elle se trouvait parmi les Ombres qui venaient d'arriver en ces lieux. Elle s'avança lentement, gênée par sa blessure au pied. Orphée eut l'autorisation de la ramener sur la Terre, à condition de ne pas la regarder, tant qu'il ne serait pas sorti des vallées infernales. S'il le faisait, il la perdrait.

Les deux époux montèrent en silence, par un sentier escarpé, dans le brouillard et dans l'obscurité. Ils étaient sur le point de quitter les Enfers et de fouler enfin la Terre quand Orphée, impatient de voir celle qu'il aimait, craignant qu'elle ne lui échappât, tourna vers elle des yeux pleins d'amour.

Aussitôt Eurydice recule, comme tirée en arrière. Elle tend les bras à son époux, elle essaie de se retenir à lui, de le toucher encore. Elle ne touche que l'air impalpable[3]. Elle ne se plaint

---

1. ***Grâce*** : faveur.
2. ***Expiaient leurs fautes*** : payaient leurs fautes par des châtiments.
3. ***Impalpable*** : qu'on ne peut toucher.

55 pas – de quoi pourrait-elle se plaindre ? d'être trop aimée ? –, mais elle tente de lui dire adieu et ses paroles parviennent à peine à l'oreille du poète. Puis elle retombe dans l'abîme[1] d'où elle était sortie.

[Désespéré d'avoir perdu Eurydice une seconde fois, Orphée chante sa peine et se refuse à l'amour des femmes. Furieuses du mépris qu'il leur témoigne, les Ménades, femmes sauvages vivant en Thrace, s'attaquent au poète et mettent son corps en pièces. Sa tête, portée par le courant d'un fleuve, se jette dans la mer Égée* et parvient à l'île de Lesbos*, considérée depuis comme la patrie de la poésie.]

Ovide, *Métamorphoses*, livre X,
adaptation Françoise Rachmühl, © Flammarion-Castor Poche, 2003.

Persée et Méduse

Non loin du royaume des morts, dans l'Extrême-Occident, vivent trois monstres effrayants qui changent en pierre quiconque croise leur regard : les Gorgones. C'est dans cet autre pays de cauchemars que le jeune Persée, à l'exemple d'Orphée, va oser s'aventurer. Comme le raconte Apollodore dans sa *Bibliothèque*, tout commence dans la ville d'Argos*, en Grèce, où le roi Acrisios s'inquiète de n'avoir qu'un seul enfant : la belle Danaé. Souhaitant transmettre son trône à un garçon, il interroge un oracle[2].

Lorsque Acrisios vint consulter l'oracle à propos de la naissance d'enfants mâles, le dieu lui répondit que sa fille

1. ***Abîme*** : trou immense.
2. ***Oracle*** : devin, inspiré le plus souvent par Zeus ou Apollon, qui rend un oracle, c'est-à-dire énonce une prédiction divine.

aurait un fils qui le tuerait. Craignant la prédiction, Acrisios fit construire une chambre souterraine en bronze où il maintint Danaé sous bonne garde. Elle fut pourtant séduite : Zeus se changea en or fluide, se coula à travers le toit dans le sein de Danaé et s'unit à elle. Lorsque plus tard Acrisios apprit qu'un enfant, Persée, était né d'elle, il refusa de croire qu'elle avait été séduite par Zeus et il mit sa fille, avec son enfant, dans un coffre, qu'il fit jeter à la mer. Le coffre fut poussé jusqu'à Sériphos* : là, Dictys[1] le repêcha et il éleva l'enfant.

Le roi de Sériphos, Polydectès, frère de Dictys, tomba amoureux de Danaé, mais comme Persée était devenu un homme et que le roi ne pouvait s'unir à elle[2], il rassembla ses amis, et parmi eux Persée, sous prétexte de réunir une contribution[3] qui devait lui faire obtenir la main d'Hippodamie, fille d'Oïnomaos[4]. Persée ayant déclaré qu'il ne lui refuserait pas même la tête de la Gorgone, il demanda à tous les autres des chevaux mais il ne prit pas les chevaux de Persée et il lui ordonna de rapporter la tête de la Gorgone.

Guidé par Hermès[5] et Athéna, Persée va trouver les Grées – « vieilles » en grec – Enyo, Péphrèdo et Déïno. Elles étaient filles de Cèto et de Phorcos, sœurs des Gorgones et vieilles femmes depuis leur naissance. Elles n'avaient, à elles trois, qu'un œil et qu'une dent, qu'elles se prêtaient entre elles à tour de rôle. Persée s'en empara et comme elles les lui redemandaient, il dit qu'il ne les leur rendrait que si elles

1. ***Dictys*** : frère du roi de l'île.

2. Persée défend sa mère contre les approches de Polydectès.

3. ***Contribution*** : cotisation.

4. ***Oïnomaos*** : roi de Pise, en Grèce. En Grèce ancienne, les épouses s'achetaient, très cher lorsqu'il s'agissait de femmes de sang royal.

5. ***Hermès*** : fils de Zeus, messager des dieux et dieu des routes, des marchands et des voleurs.

lui indiquaient le chemin qui menait chez les Nymphes. Ces Nymphes avaient en leur possession des sandales ailées et la
30 *kibisis* qui était une besace[1]. Elles avaient aussi le casque de cuir d'Hadès. Les Grées lui ayant indiqué le chemin, il leur rendit leur dent et leur œil, alla trouver les Nymphes et obtint ce qu'il désirait : il mit sur lui la besace, ajusta à ses chevilles les sandales et mit le casque sur sa tête. Avec ce casque, il
35 pouvait voir qui il voulait sans être vu d'autrui. Après avoir encore reçu d'Hermès une faucille d'acier, il arriva en volant à l'Océan et y trouva les Gorgones endormies. Elles s'appelaient Sthéno, Euryale et Méduse.

Seule Méduse était mortelle et c'est donc sa tête qu'on
40 l'avait envoyé chercher. Les Gorgones avaient la tête hérissée d'anneaux écailleux de serpents, de longues défenses de sanglier, des mains de bronze et des ailes d'or qui leur permettaient de voler. Elles changeaient en pierre ceux qui les regardaient. Persée se plaça donc au-dessus de leurs corps
45 endormis et, grâce à l'aide d'Athéna qui dirigeait son bras, en tournant la tête et en fixant un bouclier de bronze où il voyait le reflet de la Gorgone, il décapita Méduse. Quand il lui eut tranché la tête, jaillirent de son corps Pégase, le cheval ailé, et Chrysaor, le père de Géryon[2]. Elle les avait conçus de Poséi-
50 don. Persée mit dans la besace la tête de Méduse et prit le chemin du retour. Les Gorgones s'envolèrent de leur couche[3] et cherchèrent à le poursuivre, mais elles ne purent le voir, à cause du casque qui le dérobait à leur vue.

---

1. ***Besace*** : sac porté sur l'épaule.
2. ***Géryon*** : géant à trois têtes. Il gardait un troupeau magnifique qui fut enlevé par Héraclès (voir p. 32).
3. ***Couche*** : lit.

[Sur le chemin du retour, Persée rencontre Andromède, fille du roi d'Éthiopie, attachée à un rocher pour servir de pâture à un monstre qui ravageait le pays de son père. Persée la délivre et la prend pour épouse.]

Revenu à Sériphos, il y trouva sa mère qui, avec Dictys, 55 avait cherché refuge auprès des autels[1] pour échapper à la violence de Polydectès. Il pénétra au palais alors que Polydectès y avait convié ses amis et, en tournant les yeux[2], il leur montra la tête de la Gorgone. Les assistants furent changés en pierre, chacun dans la posture où il se trouvait.

60 Après avoir établi Dictys comme roi de Sériphos, il rendit les sandales, la besace et le casque à Hermès et donna à Athéna la tête de Gorgone. Hermès rendit les objets en question aux Nymphes et Athéna plaça la tête de Gorgone au centre de son bouclier.

65 Puis Persée, en compagnie de Danaé et d'Andromède, se hâta de gagner Argos pour y voir Acrisios. Quand il l'apprit, celui-ci, redoutant l'accomplissement de l'oracle, quitta Argos et se retira au pays des Pélasges. Or Teutamidès, roi de Larissa[3], donna des jeux athlétiques en l'honneur de 70 son père défunt et Persée vint concourir. En disputant le pentathlon[4], il lança son disque sur le pied d'Acrisios et le tua sur le coup. Comprenant alors que l'oracle s'était réalisé, il ensevelit Acrisios à l'extérieur de la ville.

---

1. ***Autels*** : tables de pierre sur lesquelles on offrait des sacrifices et auprès desquelles se réfugiaient les suppliants pour se mettre sous la protection des dieux.

2. Pour ne pas être aveuglé par le regard de Méduse.

3. ***Larissa*** : capitale des Pélasges.

4. ***Pentathlon*** : concours sportif composé de cinq épreuves, parmi lesquelles le lancer de disque (palet de pierre ou de fer).

[Persée retourne ensuite dans sa patrie et règne sur Tirynthe*, ville située non loin d'Argos et dont les murailles gigantesques furent construites par les Cyclopes. Son fils Alcée lui succède à la tête de la ville.]

Apollodore, *Bibliothèque*, livre II, chapitres 34-47.

Les travaux d'Héraclès

Petit-fils de Persée et fils d'Alcée, Amphitryon a une épouse aimante et fidèle, Alcmène. Mais Alcmène est trop belle pour laisser Zeus insensible : profitant de l'absence d'Amphitryon parti pour la guerre, Zeus prend les traits et l'allure de ce dernier et s'unit à Alcmène. De cette union naît le héros Héraclès, que son père munit d'une force prodigieuse. Cependant, jalouse d'Alcmène, Héra – l'épouse de Zeus – poursuit Héraclès de sa haine.

Lorsque Héraclès eut huit mois, Héra, qui voulait faire périr le nourrisson, envoya vers son berceau deux énormes serpents. Alcmène appela Amphitryon à grands cris, mais Héraclès se dressa et tua les serpents en les étouffant dans ses
5 deux mains.

Après avoir été formé au tir à l'arc, Héraclès reçut d'Hermès une épée, d'Apollon[1] un arc et des flèches, d'Héphaïstos une cuirasse[2] d'or et d'Athéna un manteau. La massue, il la tailla lui-même à Némée*.

---

1. *Apollon* est le dieu des archers.
2. *Cuirasse* : armure.

[Devenu adulte, Héraclès se marie à Mégara, fille du roi de Thèbes*. Héra n'a pas oublié sa rancune.]

10 Il fut victime, par la jalousie d'Héra, d'une crise de folie et il jeta dans le feu ses propres enfants, qu'il avait eus de Mégara, et deux des enfants d'Iphiclès[1]. C'est pourquoi, après s'être condamné lui-même à l'exil, il se rend à Delphes* pour demander au dieu [Apollon] où il doit s'établir. La Pythie[2]
15 lui dit de s'établir à Tirynthe, en se mettant pour douze ans au service d'Eurysthée, et d'accomplir les dix travaux qui lui seraient imposés ; ainsi, dit-elle, après l'accomplissement des travaux, il serait immortel. À ces mots, Héraclès alla à Tirynthe et accomplit ce que lui commandait Eurysthée.

20 En premier lieu donc, Eurysthée lui ordonna de rapporter la peau du lion de Némée. C'était un animal invulnérable[3] engendré par Typhon[4]. Arrivé à Némée, il chercha le lion et commença par lui tirer des flèches. Quand il comprit que l'animal était invulnérable, il brandit sa massue et se lança à sa
25 poursuite. Le lion se réfugia dans une grotte à deux entrées : Héraclès en boucha une et, par l'autre, il entra attaquer la bête. Il lui mit le bras autour du cou et maintint la bête étranglée jusqu'à ce qu'il l'eût étouffée ; puis il la mit sur ses épaules et la rapporta.

30 Eurysthée, stupéfait de sa bravoure[5], lui interdit pour l'avenir l'entrée de la ville et lui ordonna d'exposer ses trophées

---

1. ***Iphiclès*** : demi-frère d'Héraclès, fils d'Alcmène et d'Amphitryon.
2. ***Pythie*** : prêtresse d'Apollon qui rendait ses oracles dans le sanctuaire de Delphes.
3. ***Invulnérable*** : qu'on ne peut blesser.
4. ***Typhon*** : fils monstrueux d'Héra, moitié homme moitié fauve. C'est également le père de l'hydre de Lerne (voir la suite du texte).
5. ***Sa bravoure*** : son courage.

à l'extérieur des portes. On dit que, dans sa peur, il fit même installer sous terre une jarre de bronze pour s'y cacher et qu'il envoya ses ordres à Héraclès, pour les travaux, par l'intermédiaire d'un héraut[1].

Comme second travail, Eurysthée ordonna à Héraclès de tuer l'hydre[2] de Lerne*. Cette hydre, nourrie dans le marais de Lerne, sortait dans la plaine pour ravager les troupeaux et le pays. Elle avait un corps gigantesque et neuf têtes, dont huit étaient mortelles et la dernière, celle du milieu, immortelle. Héraclès monta donc sur un char, avec Iolaos[3] pour cocher[4], et se rendit à Lerne. Il fit arrêter les chevaux, trouva l'hydre sur une sorte de colline, près des sources d'Amymonè, où elle avait son repaire. En lui lançant des traits[5] enflammés, il l'obligea à sortir et, quand elle fut dehors, il la saisit et la tint solidement. Mais elle enlaça l'une de ses jambes et s'attacha à lui. Il avait beau abattre ses têtes à coups de massue, il n'arrivait à rien, car, pour chaque tête abattue, il en repoussait deux. Un crabe géant vint au secours de l'hydre et lui mordit le pied. Aussi, après avoir tué le crabe, à son tour appela-t-il au secours Iolaos, qui mit le feu à une partie de la forêt voisine et, avec des brandons[6], brûla les têtes à la racine pour les empêcher de repousser. Quand de cette façon il fut venu à bout des têtes toujours renaissantes, il trancha la tête immortelle, l'enfouit sous terre et plaça par-dessus un lourd rocher, en bordure de la route qui va de Lerne à Éléonte. Quant au corps de l'hydre, il le fendit pour tremper ses flèches dans son venin. Mais Eurysthée

---

1. ***Héraut*** : messager.
2. ***Hydre*** : serpent.
3. ***Iolaos*** : fils d'Iphiclès, et donc neveu d'Héraclès.
4. ***Cocher*** : conducteur de char.
5. ***Traits*** : flèches.
6. ***Brandons*** : morceaux de bois enflammés.

déclara qu'on ne devait pas compter cette épreuve au nombre des dix travaux, parce que Héraclès n'était pas venu à bout de l'hydre tout seul, mais avec l'aide de Iolaos.

[Héraclès doit ensuite capturer un sanglier monstrueux vivant sur le mont Érymanthe, puis une biche aux cornes d'or, d'une rapidité extrême – la biche de Cyrénie : le héros revient victorieux, après un an de poursuite à travers bois !]

Comme cinquième travail, Eurysthée ordonna à Héraclès d'enlever tout seul en un jour le fumier des troupeaux d'Augias. Augias était roi d'Élide*, fils du Soleil, et il possédait beaucoup de troupeaux. Héraclès vint le trouver et, sans lui révéler l'ordre d'Eurysthée, il affirma qu'il enlèverait le fumier en un jour s'il lui donnait le dixième de son bétail. Augias, incrédule[1], s'y engage. Héraclès, après en avoir pris à témoin le fils d'Augias, Phyleus, fit une brèche dans le soubassement[2] du mur de l'enclos, puis il dériva le cours de l'Alphée et du Pénée, qui coulaient à proximité, et amena l'eau dans l'enclos, non sans avoir prévu un écoulement par une autre ouverture. Lorsque Augias apprit que cette tâche avait été accomplie sur l'ordre d'Eurysthée, il refusa de payer le salaire et même il nia en avoir promis un et, sur ce point, il se dit prêt à se soumettre à un arbitrage. Quand les juges eurent pris place, Phyleus fut cité par Héraclès et porta témoignage contre son père, en disant qu'il était convenu de verser un salaire à Héraclès. Augias se mit en colère et, sans attendre le vote des juges, il ordonna à Phyleus et à Héraclès de quitter l'Élide. Quant à Eurysthée, il ne voulut pas compter non plus ce travail au

1. ***Incrédule*** : qui ne se laisse pas convaincre.
2. ***Soubassement*** : fondement.

nombre des dix, alléguant[1] qu'il avait été accompli pour un salaire.

Comme sixième travail, Eurysthée ordonna à Héraclès de chasser les oiseaux du lac Stymphale*. Il y avait à Stymphalos, cité d'Arcadie*, un lac nommé Stymphale, au cœur d'une épaisse forêt. C'était le refuge d'innombrables oiseaux qui craignaient d'être la proie des loups. Héraclès ne sachant comment expulser les oiseaux de la forêt, Athéna lui donna des claquettes en bronze qu'elle avait reçues d'Héphaïstos. En les faisant cliqueter du haut d'une montagne voisine du lac, il fit peur aux oiseaux. Incapables de résister au bruit, ils s'envolèrent, effrayés, et, de cette façon, Héraclès les tira à coups de flèches.

[Héraclès doit ensuite capturer le taureau de Crète*, père du Minotaure et amant de la reine Pasiphaé[2], puis les juments du roi Diomède, qui se nourrissent de chair humaine. Il va ensuite chercher la ceinture d'Hippolyte – reine des Amazones, peuplade de femmes guerrières –, puis accomplit un long voyage jusqu'à l'île d'Érythie, dans l'Extrême-Occident, pour capturer les troupeaux de bœufs de Géryon, fils de Méduse. Les dix travaux sont achevés, mais le héros n'est pas au bout de ses peines.]

Quand ces travaux eurent été accomplis en huit ans et un mois, Eurysthée, qui n'avait pas voulu compter l'épreuve des troupeaux d'Augias ni celle de l'hydre, ordonna à Héraclès, comme onzième travail, de lui rapporter les pommes d'or de chez les Hespérides. Ces pommes se trouvaient sur l'Atlas[3].

---

1. ***Alléguant*** : disant pour se justifier.
2. Sur cette légende, voir p. 38.
3. ***Atlas*** est à la fois une montagne et un géant, frère de Prométhée, condamné par Zeus à soutenir sur ses épaules la voûte du ciel.

C'était le cadeau que la Terre avait offert à Zeus pour son mariage avec Héra. Elles étaient gardées par un dragon immortel, qui avait cent têtes et faisait entendre toutes sortes de cris variés. Les Hespérides en avaient la garde avec lui.

[Au cours de son voyage, Héraclès] abattit à coups de flèches, sur le Caucase*, l'aigle qui dévorait le foie de Prométhée[1]. Il délivra Prométhée.

Il arriva auprès d'Atlas et, comme Prométhée lui avait dit de ne pas aller lui-même chercher les pommes, mais de prendre la place d'Atlas pour soutenir la voûte céleste et de l'y envoyer lui, il obéit et prit sa place. Atlas alla cueillir trois pommes chez les Hespérides et revint trouver Héraclès. Mais comme [Atlas] ne voulait plus tenir la voûte céleste, il dit qu'il allait porter lui-même les pommes à Eurysthée et il invita Héraclès à tenir le ciel à sa place. Héraclès, après avoir accepté, imposa à son tour par une ruse la charge du ciel à Atlas. En effet, Prométhée, dans ses conseils, lui avait dit de demander à Atlas de reprendre le ciel, le temps qu'il fasse un coussinet pour sa tête. À ces mots d'Héraclès, Atlas posa les pommes à terre et reprit la voûte céleste. C'est ainsi qu'Héraclès ramassa les pommes et s'en alla.

Comme douzième travail, Héraclès reçut l'ordre de ramener Cerbère de l'Hadès. Cerbère avait trois têtes de chien, la queue en forme de serpent et, sur le dos, toutes sortes de têtes de serpents.

Il se rendit au Ténare, en Laconie*, où se trouve la bouche qui permet de descendre dans l'Hadès, et il y pénétra. En le voyant, les âmes s'enfuirent, sauf celles de Méléagre[2] et de la

1. Voir p. 18.
2. ***Méléagre*** : héros également connu pour avoir tué un monstre, le sanglier de Calydon.

Gorgone Méduse. Il tire son épée contre la Gorgone, comme si elle était vivante, et apprend d'Hermès qu'elle n'est qu'un vain fantôme.

130 Quand Héraclès réclama Cerbère à Pluton, Pluton le mit en demeure[1] de le maîtriser et de l'emmener sans l'aide des armes qu'il portait. Il trouva l'animal aux portes de l'Achéron[2] : tout couvert de sa cuirasse et enveloppé de sa peau de lion, il saisit la tête du monstre entre ses bras et ne relâcha 135 pas sa prise ni sa pression avant de l'avoir maté, malgré les morsures du serpent qui lui servait de queue. Il l'emmena donc et, pour revenir, il fit la remontée par Trézène*. Et Héraclès, après avoir montré Cerbère à Eurysthée, le ramena dans l'Hadès.

Apollodore, *Bibliothèque*, livre II,
chapitres 61-62, 71-93, 113-114, 119-125.

Thésée et le Minotaure

Au début de ses travaux, après avoir tué le lion de Némée, Héraclès s'arrête chez le roi de Trézène. Quand les enfants qui jouent dans le palais aperçoivent la dépouille du lion sur les épaules du héros, ils croient voir un animal vivant. Tous s'enfuient, sauf un, qui s'avance vaillamment vers la bête, un glaive à la main. Ce garçon de sept ans s'appelle Thésée et, à partir de ce jour, il rêvera de ressembler à Héraclès ; il deviendra son ami et l'accompagnera dans plusieurs de ses travaux.
À la force d'Héraclès, Thésée joint la prudence de Persée et le charme d'Orphée. Il est considéré comme un véritable héros

1. ***Le mit en demeure*** : lui ordonna.
2. ***Achéron*** : fleuve souterrain des Enfers constituant la frontière entre le monde des vivants et celui des morts.

national par les Grecs de l'Antiquité, car sa légende raconte qu'il les a débarrassés de nombreux fléaux[1]. Le plus terrible d'entre eux est le Minotaure. C'est l'amour ardent de Zeus pour la belle Europe, fille du roi de Tyr[2] Agénor, qui est à l'origine de ce monstre. Pour séduire l'innocente jeune fille sans l'effrayer, Zeus se métamorphose une fois de plus. Sous l'aspect d'un magnifique taureau blanc, il surgit de la mer et s'approche de la jeune fille, venue jouer avec ses compagnes sur la plage de Tyr.

L'enlèvement d'Europe

La fille d'Agénor s'émerveille de voir un animal si beau et qui n'a pas l'air de chercher les combats ; pourtant, malgré tant de douceur, elle craint d'abord de le toucher. Bientôt elle s'en approche, elle présente des fleurs à sa bouche d'une
5 blancheur sans tache. Son amant est saisi de joie et, en attendant la volupté[3] qu'il espère, il lui baise les mains ; c'est avec peine maintenant, oui avec peine, qu'il remet le reste à plus tard. Tantôt il folâtre[4], il bondit sur l'herbe verte, tantôt il couche son flanc de neige sur le sable fauve ; lorsqu'il a peu
10 à peu dissipé la crainte de la jeune fille, il lui présente tantôt son poitrail pour qu'elle le flatte de la main, tantôt ses cornes pour qu'elle y enlace des guirlandes fraîches. La princesse ose même, ignorant qui la porte, s'asseoir sur le dos du taureau ; alors le dieu, quittant par degrés le terrain sec du rivage, baigne
15 dans les premiers flots ses pieds trompeurs ; puis il s'en va plus loin et il emporte sa proie en pleine mer. La jeune fille, effrayée, se retourne vers la plage d'où il l'a enlevée ; de sa main droite elle tient une corne ; elle a posé son autre main

---

1. ***Fléaux*** : grands malheurs, calamités.
2. ***Tyr*** : voir carte p. 114.
3. ***Volupté*** : plaisir.
4. ***Folâtre*** : s'amuse, gambade.

sur la croupe[1] ; ses vêtements, agités d'un frisson, ondulent
20 au gré des vents.

Ovide, *Métamorphoses*, livre II, trad. Georges Lafaye,

Naissance d'un monstre – le Minotaure

Zeus parvient avec Europe dans l'île de Crète. De leur union naissent trois fils : Minos, Sarpédon et Rhadamante. Europe se marie ensuite à Astérion, le roi de Crète, qui adopte ses trois enfants. Parmi eux, Minos est particulièrement ambitieux.

Lorsque Astérion mourut sans enfant, Minos voulut régner sur la Crète et on chercha à l'en empêcher. Alors, il prétendit qu'il avait reçu des dieux la royauté et, pour qu'on le crût, il soutint que ce qu'il leur demanderait se réaliserait. Au cours
25 d'un sacrifice à Poséidon, il demanda au dieu de faire apparaître un taureau hors des flots, en promettant de sacrifier l'animal qui apparaîtrait. Poséidon fit surgir pour lui un taureau splendide. Minos obtint la royauté, mais il envoya le taureau rejoindre ses troupeaux et il en sacrifia un autre.

30 Il fut le premier à avoir l'empire de la mer et il étendit sa domination à presque toutes les îles. Poséidon, irrité contre lui parce qu'il n'avait pas sacrifié le taureau, rendit l'animal furieux et fit en sorte que Pasiphaé, l'épouse de Minos, éprouvât pour lui du désir. Tombée amoureuse du taureau, elle
35 prit pour complice Dédale, un architecte qui avait été banni d'Athènes à la suite d'un meurtre.

Celui-ci fabriqua une vache en bois, la monta sur des roues, l'évida à l'intérieur[2], cousit sur elle la peau d'une vache qu'il

---

1. ***Croupe*** : arrière-train.
2. ***L'évida à l'intérieur*** : en creusa l'intérieur.

avait écorchée[1] et, après l'avoir placée dans le pré où le taureau avait l'habitude de paître, il y fit monter Pasiphaé. Le taureau vint et s'accoupla avec elle comme avec une vraie vache.

C'est ainsi que Pasiphaé enfanta le Minotaure[2], qui avait la face d'un taureau et, pour le reste, un corps d'homme. Minos, conformément à des oracles, le fit enfermer et garder dans le labyrinthe. Ce labyrinthe, que Dédale avait construit, était une demeure aux détours tortueux, telle qu'on y errait sans pouvoir en sortir.

Apollodore, *Bibliothèque*, livre III, chapitres 1-3

Naissance d'un héros – Thésée

Au même moment, Égée, roi d'Athènes, s'inquiète de ne pas avoir d'enfants. Il se rend à Delphes pour y consulter l'oracle d'Apollon et, sur le chemin du retour, s'arrête chez Pitthée, roi de Trézène, s'enivre et passe la nuit avec Æthra, la fille du roi. Mais, la même nuit, le dieu Poséidon s'unit à la jeune fille. Le lendemain, Égée repart pour Athènes.

Égée recommanda à Æthra, au cas où elle donnerait naissance à un enfant mâle, de l'élever sans lui dire de qui il était le fils. Puis il laissa sous un rocher un coutelas[3] et des sandales : le jour, lui dit-il, où l'enfant pourrait rouler le rocher et les récupérer, elle le lui enverrait, muni de ces objets.

Égée revint à Athènes et fit célébrer les jeux des Panathénées[4]. Au cours de ces jeux, Androgée, le fils de Minos, vainquit

1. ***Qu'il avait écorchée*** : dont il avait arraché la peau.
2. ***Minotaure*** signifie «taureau de Minos» en grec.
3. ***Coutelas*** : petite épée.
4. ***Panathénées*** : fêtes en l'honneur de la naissance d'Athéna, déesse protectrice de la cité.

55 tous les concurrents. Égée l'envoya affronter le taureau de Marathon*[1], qui le tua.

Quand la nouvelle de sa mort fut rapportée à Minos, il était à Paros*, en train d'offrir un sacrifice : il arracha de sa tête la couronne et fit taire la flûte[2]. Peu après, ayant la 60 maîtrise de la mer, Minos attaqua Athènes avec une flotte.

Comme la guerre traînait en longueur sans qu'il pût s'emparer d'Athènes, Minos supplia Zeus de lui permettre d'obtenir réparation des Athéniens. La famine et la peste frappèrent la cité. Les Athéniens demandèrent à l'oracle 65 comment se délivrer du fléau. Le dieu leur répondit de subir l'expiation[3] qu'il plairait à Minos de leur infliger. Ils envoyèrent donc une délégation[4] à Minos et s'en remirent à lui pour fixer la peine. Minos leur ordonna d'envoyer sept jeunes gens et autant de jeunes filles, sans armes, pour être la proie du 70 Minotaure.

Æthra mit au monde Thésée, le fils d'Égée. Quand il fut devenu grand, il écarta le rocher, récupéra les sandales et le coutelas, et, par voie de terre[5], se hâta vers Athènes. Il purgea[6] la route des malfaiteurs qui l'infestaient. Thésée, ayant ainsi 75 purgé la route, arriva à Athènes.

Médée, qui était alors mariée à Égée, conspira contre lui, persuadant Égée de se garder de lui comme d'un comploteur. Égée, sans reconnaître son propre fils, eut peur de lui à cause

---

1. ***Taureau de Marathon*** : taureau monstrueux qui crachait du feu par les naseaux. Il ravageait la plaine de Marathon, au nord-est d'Athènes.
2. Le sacrificateur était couronné de feuillage et accompagné de musiciens.
3. ***Expiation*** : réparation d'une faute, châtiment.
4. ***Une délégation*** : des représentants, des ambassadeurs.
5. ***Par voie de terre*** : en empruntant les chemins.
6. ***Purgea*** : nettoya.

de sa force et l'envoya contre le taureau de Marathon pour qu'il soit anéanti par la bête. Quand Thésée eut tué la bête, Égée lui présenta un poison qu'il avait reçu le jour même de Médée. Mais au moment où Thésée allait boire le breuvage, il fit don à son père de l'épée et Égée, en la reconnaissant, fit sauter la coupe de ses mains. Reconnu par son père et informé du complot, Thésée chassa Médée.

Le fil d'Ariane

Pour le troisième tribut[1] envoyé au Minotaure, Thésée s'offrit volontairement. Comme le navire avait une voile noire, Égée donna pour consigne à son fils, s'il revenait vivant, de déployer sur le navire des voiles blanches. Lorsque Thésée fut arrivé en Crète, Ariane, la fille de Minos, amoureusement disposée à son égard[2], s'engage à l'aider s'il convient[3] de la prendre pour épouse, après l'avoir emmenée à Athènes. Thésée ayant convenu sous serment de le faire, elle demande à Dédale de lui révéler le moyen de sortir du labyrinthe. Sur son conseil, elle donna à Thésée du fil, quand il y entra. Thésée attacha le fil à la porte et, en le dévidant[4] derrière lui, il entra. Il trouva le Minotaure dans la partie la plus reculée du labyrinthe et il le tua à coups de poings. Puis, en tirant le fil en sens inverse, il ressortit. De nuit, il arrive à Naxos* avec Ariane et les jeunes gens. Là, Dionysos[5] tomba amoureux d'Ariane, l'enleva et, l'ayant emmenée à Lemnos*, il s'unit à elle.

---

1. ***Troisième tribut*** : troisième convoi d'enfants envoyé à Minos qui chaque année exige sept jeunes gens et sept jeunes filles.

2. ***Amoureusement disposée à son égard*** : amoureuse de lui.

3. ***Convient*** : accepte.

4. ***Dévidant*** : déroulant.

5. ***Dionysos*** : dieu du vin et de la fête.

Dans son chagrin pour Ariane, Thésée, en arrivant, oublia de déployer sur le navire des voiles blanches. Égée, lorsqu'il
105 vit, du haut de l'Acropole[1], que le navire avait une voile noire, crut que Thésée était mort : il se jeta en bas et trépassa[2]. Thésée lui succéda comme roi à Athènes.

La chute d'Icare

Minos, lorsqu'il apprit la fuite de Thésée et de ses compagnons, enferma dans le labyrinthe le responsable, Dédale, ainsi
110 que son fils, Icare, que Dédale avait eu d'une esclave de Minos, Naucratè. Mais Dédale fabriqua des ailes pour lui-même et pour son fils et, quand ce dernier prit son vol, il lui recommanda de ne pas voler vers les hauteurs, de peur que la colle ne fonde sous l'effet du soleil et que ses ailes ne se détachent,
115 et de ne pas voler non plus près de la mer, pour éviter que ses plumes ne se détachent sous l'effet de l'humidité.

Mais Icare, charmé, négligea les recommandations de son père et s'éleva toujours plus haut. La colle fondit et il se tua en tombant dans la mer appelée de son nom mer Icarienne*.
120 Dédale gagna sain et sauf Camicos, en Sicile[3].

Le piège de Minos

Minos le poursuivit, et, dans tous les pays où il le cherchait, il apportait un coquillage en spirale, en promettant une forte récompense à celui qui ferait passer un fil à travers le coquillage, persuadé que, par ce moyen, il retrouverait Dédale. Venu à
125 Camicos de Sicile, chez Cocalos, auprès de qui Dédale se cachait, il montra le coquillage. Cocalos le prit, se fit fort d'y passer un fil et le donna à Dédale.

---

1. ***Acropole*** : citadelle d'Athènes.
2. ***Trépassa*** : mourut.
3. Voir carte, p. 90.

Celui-ci attacha un fil à une fourmi, perça un trou dans le coquillage et le fit parcourir par la fourmi. Lorsque Minos reçut le coquillage parcouru par le fil, il comprit que Dédale était chez Cocalos et demanda aussitôt qu'on le lui livre. Cocalos, tout en lui promettant de le faire, le fêta comme un hôte[1]. Mais Minos fut supprimé dans son bain par les filles de Cocalos.

Apollodore, *Bibliothèque*, livre III, chapitres 15-16 ;
Épitomè, livre I, chapitres 5-6, 7-11, 12-13.
Pour tous les extraits de la *Bibliothèque* d'Apollodore :
éd./trad. Jean-Claude Carrière, Bertrand Massonie,

abrégée par endroits pour la présente édition.

III. La guerre de Troie (Homère, *Iliade*)

Origines de la guerre de Troie*

La belle Hélène

Thésée, le vainqueur du Minotaure, est également connu pour être un grand ravisseur de femmes : il échoua avec Perséphone, reine des Enfers, mais parvint à enlever Hélène, encore enfant, avant que ses frères la délivrent. Fille de Zeus et de Léda, cette femme était connue pour être la plus belle du monde et, lorsqu'il fut question de lui trouver un époux, tous les princes de la Grèce se bousculèrent. Craignant la guerre civile, Tyndare, l'époux de Léda, fit jurer à ces prétendants d'accepter le choix d'Hélène et de prêter secours, en cas de besoin, à son futur époux. Ménélas, le roi de Sparte*, obtint la main de la belle Hélène.

---

1. ***Hôte*** : invité.

Les noces de Thétis et Pélée

Au même moment, un autre mariage se concluait entre le roi Pélée et la déesse Thétis. De cette union devait bientôt naître le plus vaillant des Grecs qui combattirent sous les murs de Troie : Achille.

Aux noces de Thétis et Pélée, tous les dieux furent conviés, sauf Éris, déesse de la discorde[1]. Pour troubler la fête, la déesse vexée lança entre Athéna, Aphrodite et Héra une pomme d'or sur laquelle était écrit : « À la plus belle. » Les trois déesses se disputèrent aussitôt le précieux cadeau : laquelle d'entre elles était la plus belle ?

Le jugement de Pâris

Pour trancher la querelle, on s'en remit au jugement de Pâris, car ce fils de Priam, le roi de Troie, était célèbre pour sa beauté. Afin d'obtenir sa faveur, Héra lui promit la royauté sur toute l'Asie, et Athéna la sagesse et la victoire dans les combats. Aphrodite, déesse de l'amour, ne lui offrit que l'amour d'Hélène de Sparte, et c'est Aphrodite que Pâris jugea la plus belle.

L'enlèvement d'Hélène et la guerre

Cependant Hélène était déjà mariée à Ménélas. Sous le prétexte d'une visite amicale à Sparte, Pâris séduisit la jeune reine et l'emmena à Troie. Ménélas rappela alors aux princes de la Grèce – les Achéens – le serment qu'ils avaient fait et, sous la conduite d'Agamemnon, frère de Ménélas et roi de la puissante Mycènes*, tous partirent assiéger Troie pour venger l'affront de Pâris et rendre Hélène à son époux.

Les dieux – les déesses surtout – étaient bien évidemment de la partie : Aphrodite, Mars et Apollon soutenaient Pâris et les Troyens. Les Achéens avaient l'appui d'Athéna et d'Héra, les deux déesses méprisées, ainsi que celui de Poséidon. Zeus surveillait d'un œil plus

1. ***Discorde*** : dispute.

détaché les tueries du combat et les chamailleries de l'Olympe* ; les dieux venant lui demander son soutien, il accordait sa faveur tantôt à un camp, tantôt à l'autre, mais, en dernier ressort, il dut obéir aux destins contre lesquels même lui ne pouvait rien. Or les destins voulaient la perte de Troie.

« Chante, ô Muse... »

Cette guerre, qui eut peut-être lieu au XIIe siècle av. J.-C., fit énormément parler d'elle dans tout le monde grec : les préparatifs des Achéens, les dix ans de siège et de combats au cours desquels s'illustrèrent de formidables guerriers comme Hector, Énée et Achille, sans oublier la victoire finale des Achéens grâce au stratagème du rusé Ulysse (voir p. 67, l'épisode du cheval de Troie). Comme les exploits d'Héraclès ou de Thésée[1], la guerre de Troie devint bientôt une véritable légende, une histoire transmise d'abord de bouche à oreille, puis composée en vers par des poètes (appelés aèdes – « chanteurs », en grec), qui la récitaient au son de la cithare[2] et sous l'inspiration de leur déesse, la Muse.

Homère et l'*Iliade*

Le prince des poètes

Le plus célèbre des aèdes fut Homère, poète pauvre, errant et aveugle qui aurait vécu au VIIIe siècle av. J.-C. et serait mort sur l'île d'Ios*. De lui, nous ne savons rien de certain. A-t-il même existé ? En tout cas, il a laissé son nom aux deux plus célèbres épopées[3] de l'Antiquité : l'*Iliade* et l'*Odyssée*.

La colère d'Achille

L'*Iliade*, dont le titre vient d'Ilion, autre nom de Troie, fait le récit d'un épisode bref mais décisif de la guerre, au cours de la dixième

---

1. Voir respectivement p. 32 et p. 38.
2. ***Cithare*** : instrument à cordes, ancêtre de la guitare.
3. ***Épopées*** : longs poèmes relatant les exploits d'un ou de plusieurs héros.

et dernière année du siège de la ville. À la suite d'une expédition contre une ville voisine de Troie, les Achéens ont rapporté un butin et capturé des femmes. Mais Agamemnon, le commandant en chef des troupes achéennes, doit, sur l'ordre d'Apollon, rendre sa captive qui se trouve être la fille d'un prêtre de ce dieu. En compensation, Agamemnon exige d'Achille qu'il lui cède sa propre captive, Briséis. Achille est d'autant plus furieux de cette injustice qu'il est toujours le premier au combat : c'est à sa vaillance que les Grecs doivent l'essentiel de leur butin.
Le héros se retire dans sa tente, bien décidé à priver les Achéens de son soutien et à rentrer en Grèce. Dans sa rage, il en vient même à souhaiter la victoire des Troyens.

Achille et Thétis

Lorsque furent partis les hérauts[1] venus chercher Briséis, Achille s'assit à l'écart sur le rivage sablonneux et blanc d'écume[2]. Il regarda la haute mer et, les mains tendues, il supplia Thétis, sa mère, de lui venir en aide.

5 «Mère ! Puisque tu m'as enfanté pour une vie si courte[3], l'Olympien Zeus qui tonne dans le ciel devrait m'accorder au moins quelques honneurs. Et voici qu'Agamemnon m'a offensé, il m'a enlevé ma récompense.»

Tandis qu'il priait ainsi et versait des larmes, sa mère l'enten-
10 dit et, aussitôt, elle émergea de la mer[4], comme une nuée[5]. Elle

---

1. ***Hérauts*** : messagers, venus chercher Briséis, la captive d'Achille réclamée par Agamemnon.
2. ***Écume*** : mousse blanche, ici celle de la mer.
3. Thétis avait averti son fils que, s'il partait pour Troie, il aurait une vie courte mais gagnerait une gloire immortelle ; s'il restait, il mourrait âgé mais au terme d'une vie sans gloire. Sans hésiter, Achille partit pour Troie.
4. Fille d'Océan, Thétis est une déesse marine.
5. ***Nuée*** : nuage.

vint s'asseoir auprès de son fils, elle le caressa tendrement et lui dit :

«Mon enfant, pourquoi pleures-tu ? Quelle tristesse est entrée dans ton âme ? Parle, ne cache rien, afin que nous sachions tous deux la cause de ta peine.»

Achille raconta alors à sa mère la querelle avec le roi Agamemnon. Puis il lui demanda de se rendre auprès du dieu Zeus et de le supplier de favoriser les Troyens contre les Achéens, afin que le roi Agamemnon soit puni de ses outrages[1].

Thétis fondit en larmes.

«Hélas, mon enfant ! Pourquoi t'ai-je enfanté et nourri pour une aussi cruelle destinée ! Je me lamente de te voir si malheureux, toi dont le destin est de mourir jeune !»

Elle lui promit alors de faire ce qu'il lui avait demandé. Puis, elle retourna à la mer d'où elle était venue et laissa son fils irrité dans son cœur au souvenir de la jeune femme aux belles joues qu'on lui avait enlevée par violence.

Achille restait dans sa tente et couvait son ressentiment[2]. Il ne se montrait plus ni à l'assemblée, ni dans le combat. Il restait là, se dévorant le cœur et regrettant le cri de guerre et la mêlée[3].

Thétis n'oubliait pas les prières de son fils, et, émergeant de l'écume, elle monta au sommet de l'Olympe. Elle trouva Zeus tout-puissant assis à l'écart des autres. Elle vint s'asseoir devant lui, embrassa ses genoux qu'elle tint dans sa main gauche et de la droite saisit son menton[4]. Elle le supplia de

---

1. ***Outrages*** : injures.
2. ***Ressentiment*** : mécontentement, rancune.
3. ***Mêlée*** : groupe serré de combattants.
4. ***Embrassa ses genoux*** […] ***saisit son menton*** : gestes que l'on faisait en Grèce ancienne pour supplier quelqu'un.

venir en aide à son fils, dont le destin était de mourir jeune. Elle lui demanda de donner le dessus aux Troyens jusqu'à ce que les Achéens rendent à son fils honneurs et justice.

40 Zeus ne répondit pas et resta longtemps silencieux. Thétis insista et Zeus qui amasse les nuées lui dit :

«Tu vas me causer des ennuis avec Héra. Elle ne cesse déjà de me reprocher devant les dieux de soutenir les Troyens dans les combats. Retire-toi vite de peur qu'elle ne te voie. Je 45 songerai à faire ce que tu demandes. Je t'en donne pour gage[1] le signe de ma tête. C'est la garantie la plus forte qui existe parmi les Immortels[2].»

Et Thétis sauta dans la mer.

Homère, *Iliade*, chant I.

La déroute de l'armée achéenne

N'en déplaise à Héra et Athéna, Zeus tient ses promesses et les Troyens, sous la conduite du meilleur d'entre eux, Hector, fils de Priam, mettent en déroute l'armée achéenne où combattent Ulysse, Diomède, Ajax, Machaon et Nestor. Achille n'est pas mécontent de ce désastre, mais il envoie imprudemment son ami Patrocle aux nouvelles.

Comme deux sangliers audacieux font face à la meute, Ulysse et Diomède contraignirent les Troyens de reculer et les Achéens respirèrent un moment mais, malgré cette ardeur, les dieux Apollon et Zeus protégeaient les Troyens. Diomède fut 5 atteint par une flèche de Pâris qui le blessa au pied. Ulysse à son tour reçut un coup qui perça son bouclier étincelant

1. ***Gage*** : garantie.
2. ***Les Immortels*** : les dieux.

et sa cuirasse[1] et qui déchira la peau de sa poitrine. Mais Athéna ne permit pas que la blessure fût profonde et que le coup fût mortel. Le brave[2] Ménélas, saisissant Ulysse par la 10 main, l'emmena loin de la mêlée, tandis qu'un serviteur faisait approcher son char. Ajax se ruant au combat tuait hommes et chevaux.

C'est alors qu'une flèche de Pâris atteignit à l'épaule droite Machaon. Aussitôt Nestor installa sur son char l'illustre médecin, 15 fouetta les chevaux qui s'élancèrent vers les bateaux[3].

Achille, debout à la poupe[4] de son bateau, contemplait le rude combat et la défaite des Achéens. Lorsqu'il vit les chevaux couverts d'écume arriver, il reconnut Nestor et le médecin Machaon. Il appela alors son fidèle compagnon Patrocle pour 20 apporter des secours. Patrocle sortit en courant de sa tente.

Il ne savait pas, l'insensé, qu'il allait ainsi au-devant du malheur et de la mort.

« Pourquoi m'appelles-tu, Achille ? Que veux-tu de moi ? »

Et Achille aux pieds rapides[5] lui répondit :

25 « Ami très cher à mon âme, j'espère maintenant que les Achéens se jetteront à mes genoux et me supplieront, car leur perte est proche. Va donc, Patrocle, et demande à Nestor quel est le guerrier blessé qu'il ramène du combat. Il ressemble à Machaon, mais je n'ai pas vu son visage car les chevaux sont 30 passés très vite. »

---

1. ***Cuirasse*** : armure.
2. ***Brave*** : courageux.
3. Machaon est fils d'Asclépios, dieu de la médecine. On comprend l'empressement des guerriers achéens, toujours exposés à de multiples blessures, à protéger la vie de ce précieux médecin.
4. ***Poupe*** : arrière du bateau. Les Achéens ont tiré leurs bateaux sur le rivage pour les mettre au sec, et se servent des ponts arrière comme d'observatoires.
5. ***Aux pieds rapides*** : c'est-à-dire rapide à la course.

Patrocle se mit alors à courir vers les tentes. Le char arriva près du campement et Nestor et Machaon en descendirent. Ils firent sécher la sueur de leurs tuniques au vent de la mer, puis entrèrent sous la tente de Nestor et s'assirent.

35 Hécamède[1] aux beaux cheveux leur apporta des oignons pour ouvrir la soif, du miel et de la farine sacrée, puis elle mélangea dans le vin du fromage de chèvre râpé et de la farine. Les deux hommes burent et se reposèrent en parlant tour à tour.

40 Patrocle parut alors à l'entrée de la tente. Et comme Nestor l'invitait à s'asseoir à sa table, il répondit :

« Je ne puis me reposer car c'est Achille qui m'envoie. Il te demande quel est le guerrier blessé que tu as ramené. Mais je reconnais Machaon, le médecin des guerriers. Je vais aussitôt 45 le lui dire car tu sais combien mon compagnon est impatient et irritable[2]. »

Mais Nestor indigné répondit à Patrocle :

« Pourquoi Achille a-t-il ainsi pitié des fils des Achéens blessés par des flèches troyennes ? Ignore-t-il le deuil qui 50 s'abat sur l'armée ? Les meilleurs sont blessés : Diomède, Ulysse et Agamemnon. Mais Achille n'a ni souci ni pitié des Achéens. Attend-il que nos bateaux soient incendiés et que les Achéens périssent jusqu'au dernier ? Achille garde sa force pour lui seul, mais il regrettera le jour où toute l'armée 55 achéenne aura péri. Écoute-moi, Patrocle, souviens-toi des paroles de ton père lorsque tu partis pour la guerre, il te parla ainsi : "Mon fils, Achille t'est supérieur par sa naissance et par sa force, mais tu es plus âgé que lui. Tu dois le conseiller avec sagesse." Tu ne dois pas oublier ses paroles. Va auprès

1. ***Hécamède*** : captive de Nestor.
2. ***Irritable*** : coléreux.

d'Achille et parle-lui. Peut-être t'écoutera-t-il. Dis-lui que, s'il ne veut pas combattre lui-même, il t'envoie à sa place et te prête ses belles armes. Les Troyens te prendront peut-être pour lui et, effrayés, s'enfuiront, laissant ainsi les Achéens se reposer un peu. »

Dans son cœur, Patrocle fut troublé par les paroles du vieillard et il se hâta de retourner vers Achille.

Iliade, chant XI.

Patrocle dans les armes d'Achille

Convaincu par Nestor, Patrocle demande à Achille ses armes : en se faisant passer pour lui, il fera peur aux Troyens et les éloignera des vaisseaux auxquels ils commencent à mettre le feu. Achille accepte, mais il pose de sévères conditions.

« Va, Patrocle, jette-toi sur eux et repousse-les loin de nos bateaux ! Ne les laisse pas détruire notre flotte par le feu ardent ! Mais garde mes paroles dans ton esprit : repousse les Troyens loin des bateaux et reviens. Ne dompte pas sans moi les Troyens belliqueux[1] car tu me couvrirais de honte. Laisse les hommes combattre dans la plaine. Et qu'il plaise aux dieux que nul d'entre les Troyens et les Achéens n'échappe à la mort, et que, seuls, nous survivions tous deux et renversions les murailles sacrées de Troie. »

[Quand Patrocle paraît sur le champ de bataille, les Troyens paniquent : ils croient qu'Achille est revenu. Patrocle peut-il résister à l'envie de profiter de la situation ?]

1. ***Belliqueux*** : qui aiment la guerre.

10 C'est alors que Patrocle, désobéissant aux ordres d'Achille, excita ses chevaux et poursuivit les Troyens. S'il était revenu auprès des bateaux comme le lui avait demandé son compagnon, il aurait évité la noire mort qui l'attendait. Mais l'esprit de Zeus est plus puissant que celui des hommes. Il terrifie 15 l'homme le plus courageux et enlève la victoire à celui qu'il a lui-même poussé dans les combats.

Alors tandis que les dieux préparaient sa mort, Patrocle tua les guerriers troyens qui n'avaient pu s'enfuir. Il semblait bientôt que Patrocle, dans sa fureur, allait prendre la haute 20 cité de Troie.

Parvenu sous les murailles de la ville, Patrocle se rua trois fois, poussant des cris terribles, et tua neuf guerriers. Mais, quand il s'élança une quatrième fois, la fin de sa vie était proche.

25 Apollon, se tenant derrière lui enveloppé d'une épaisse nuée, le frappa de la main dans le dos, entre ses larges épaules, et ses yeux furent troublés, il fut pris d'un vertige. Apollon lui arracha son casque de la tête, qui roula en retentissant sous les pieds des chevaux et l'aigrette[1] fut souillée de sang et de 30 poussière. La lourde lance de Patrocle se brisa dans sa main, et le dieu Apollon détacha sa cuirasse. L'esprit de Patrocle fut saisi de stupeur, ses membres devinrent inertes[2], il resta pétrifié.

Alors un cavalier troyen, Euphorbe, s'approchant de lui 35 par-derrière, lança sa pique et le blessa sans l'abattre. Retirant sa lance, il s'enfuit, redoutant Patrocle même désarmé. Patrocle recula dans la foule de ses compagnons pour éviter la mort.

---

1. ***Aigrette*** : touffe de poils plantée au sommet du casque.
2. ***Inertes*** : sans force.

Lorsqu'il vit que Patrocle, blessé, se retirait, Hector se jeta sur lui et frappa dans le côté d'un coup de lance qui le traversa. Patrocle s'abattit sur le sol avec fracas comme un sanglier haletant sous l'étreinte[1] d'un lion.

Hector exultait[2], mais Patrocle, qui respirait à peine, lui dit :

« Hector, maintenant tu es plein d'orgueil et de gloire car les dieux t'ont donné la victoire. Mais sache que ce sont les dieux qui m'ont tué et toi tu es venu le dernier. Et souviens-toi de mes paroles car, je te le dis, Hector, tu ne vivras pas longtemps. Voici venir la mort qui te vaincra par les mains d'Achille. »

Comme il parlait ainsi, son âme abandonna son jeune corps.

Iliade, chant XVI.

Ce que vaut un ami

Le divin Achille, quant à lui, ignorait la mort de son ami très cher, car les hommes combattaient sous les murailles de Troie loin des bateaux. Il pensait que Patrocle reviendrait vivant après avoir poussé jusqu'aux portes de la ville, sachant qu'il ne devait pas renverser Ilion[3] sans lui.

À la fin du jour, Ménélas, sur le conseil d'Ajax, envoya Antiloque annoncer à Achille la triste nouvelle de la mort de son ami.

---

1. ***Étreinte*** : ici, action d'enlacer, de serrer.
2. ***Exultait*** : était fou de joie.
3. ***Ilion*** : autre nom de Troie.

Lorsque Antiloque parvint près des bateaux, il trouva Achille devant sa nef[1], le cœur plein d'angoisse, méditant sur ce qui était déjà arrivé. Il s'approcha d'Achille et, versant des chaudes larmes, il lui dit la triste nouvelle :

« Hélas, Achille, je viens t'annoncer une triste nouvelle. Patrocle gît[2] mort, et tous combattent pour son cadavre nu, car Hector l'a dépouillé de ses armes. »

À ces mots, une sombre douleur enveloppa Achille tout entier. Il saisit de ses deux mains la poussière et la cendre du foyer et les jeta sur sa tête, et il en frotta son visage et sa tunique. Puis, il s'étendit tout entier dans la poussière et s'arracha les cheveux. Et les femmes que lui et Patrocle avaient prises sortirent de la tente et hurlèrent de douleur en se frappant la poitrine.

Antiloque, lui aussi, gémissait et tenait les mains d'Achille, craignant qu'il se tranche la gorge de sa lance.

Achille poussait des cris si terribles que sa mère, la déesse Thétis, assise dans les gouffres de la mer, l'entendit. Et elle se lamenta amèrement :

« Néréides[3], mes sœurs, écoutez-moi. J'ai mis au monde un homme illustre, le plus courageux des héros. Je l'ai élevé comme une plante dans une terre fertile. Je l'ai envoyé sur des bateaux à poupes recourbées pour combattre les Troyens. Mais je ne le verrai pas revenir dans la maison de Pélée. Il souffre et je ne peux le secourir. »

Déchirant alors les eaux devant elle, elle se rendit sur le rivage jusqu'au bateau d'Achille. Là, elle prit en pleurant la tête de son fils :

---

1. ***Nef*** : bateau.
2. ***Gît*** : est étendu, sans mouvement.
3. ***Néréides*** : filles du dieu marin Nérée.

« Mon enfant, pourquoi pleures-tu ? Parle, ne me cache rien. »

Achille lui répondit :

« Ma mère, je ne veux plus vivre car j'ai perdu mon compagnon le plus cher. Hector l'a tué et lui a arraché mes armes splendides, présent[1] des dieux à Pélée. Je percerai Hector de ma lance pour venger mon cher Patrocle. »

Iliade, chant XVIII.

La vengeance d'Achille

Thétis obtient d'Héphaïstos, le dieu forgeron, qu'il fabrique pendant la nuit de nouvelles armes pour son fils. Le lendemain, Achille paraît sur le champ de bataille, à la grande joie des Achéens.

Achille approchait brandissant sur son épaule droite sa terrible lance en frêne. L'airain[2] resplendissait, semblable à l'éclair. Dès qu'Hector l'aperçut, la terreur le saisit ; il s'enfuit épouvanté. Comme un épervier poursuit une colombe tremblante et la presse avec des cris aigus, de même Achille se précipitait et poursuivait Hector. Ils passèrent auprès de la colline et du haut figuier, à travers le chemin et le long des murailles, et ils parvinrent ainsi auprès du fleuve, courant tous deux, l'un fuyant et l'autre le poursuivant. Et c'était un brave qui fuyait et un plus brave qui le poursuivait.

Comme deux chevaux rapides qui concourent dans les jeux funéraires[3], de même Hector et Achille tournèrent trois

1. ***Présent*** : cadeau.
2. ***Airain*** : bronze, métal qui faisait office de fer, avant que celui-ci fût inventé.
3. ***Jeux funéraires*** : compétitions sportives organisées en l'honneur d'un mort.

fois autour de la ville du roi Priam. Et tous les dieux les regardaient. Et Zeus était plein de pitié pour Hector et aurait voulu le sauver. Mais Athéna en fut indignée et menaça son père :

«Ô Père foudroyant qui amasse les nuées, tu veux arracher à la mort cet homme mortel que la destinée a marqué pour mourir ! Fais-le, mais jamais les dieux ne t'approuveront ! »

Zeus céda à l'ardeur de sa fille et remit entre ses mains le sort d'Hector et d'Achille. Athéna s'élança aussitôt du sommet de l'Olympe*.

Pendant ce temps, le rapide Achille pressait sans relâche Hector, comme un chien presse, sur les montagnes, un jeune faon. Et Hector ne pouvait se dérober au rapide Achille. Comme dans un rêve où l'on poursuit un homme qui fuit, sans pouvoir l'atteindre et sans qu'il puisse échapper, de même Achille ne pouvait saisir son ennemi et Hector ne pouvait lui échapper.

[Pour aider Achille, Athéna prend les traits de Déiphobe, le frère d'Hector : elle promet au Troyen son soutien et le convainc de faire face à Achille. Un duel s'engage.]

Achille lança sa longue pique contre Hector. Celui-ci l'évita. La longue pique vola au-dessus de lui et s'enfonça dans la terre. Athéna l'arracha et la rendit à Achille sans être vue d'Hector.

Hector brandit à son tour sa longue pique et la jeta violemment. Elle frappa sans dévier le milieu du bouclier d'Achille; mais elle rebondit loin du bouclier. Hector, irrité par ce coup inutile, resta debout plein de trouble, car il n'avait que cette lance. Il appela à grands cris son frère Déiphobe pour lui demander une autre lance; mais Athéna qui avait pris les traits de Déiphobe avait disparu. Hector comprit alors que les dieux l'avaient trompé et que sa mort était proche. Mais il ne voulait mourir ni lâchement ni sans gloire.

Il tira son épée aiguë qui pendait sur son flanc et bondit sur Achille, semblable à l'aigle qui, planant dans les hauteurs, plonge dans la plaine à travers les nuées sur un agneau ou un lièvre timide. Achille, plein d'une rage meurtrière, se rua sur Hector.

Il portait son bouclier ciselé[1] devant sa poitrine et secouait son casque éclatant, au sommet duquel Héphaïstos avait fixé de splendides crinières d'or. Et brandissant sa lance qui brillait comme une étoile au cœur de la nuit, il visa un endroit découvert : la jointure du cou et de l'épaule, là où la fuite de l'âme est la plus prompte[2]. C'est là qu'il enfonça sa lance dont la pointe traversa le cou d'Hector, mais ne trancha pas sa gorge. Il put encore parler :

« Je t'en supplie par ton âme, par tes genoux, par tes parents, ne laisse pas les chiens me dévorer près des bateaux achéens. Accepte l'or et l'airain de mes parents. Renvoie mon corps dans mes demeures afin que les Troyens et les Troyennes me déposent avec honneur sur le bûcher[3]. »

Achille lui répondit :

« Chien ! Ne me supplie pas ! J'aurais dû manger ta chair crue, pour le mal que tu m'as fait ! »

Hector lui répondit en mourant :

« Ton cœur est de fer, mais les dieux me vengeront le jour où Pâris et Apollon te tueront, malgré ton courage, devant la porte Scée[4]. »

---

1. ***Ciselé*** : orné de gravures.
2. ***Prompte*** : rapide.
3. ***Bûcher*** : ici, tas de bois sur lequel on brûlait les morts.
4. ***Porte Scée*** : porte de la ville par laquelle fut introduit le cheval de Troie (voir p. 67-68) ; du grec *skaios*, « à gauche ».

La mort interrompit ses paroles, et son âme s'envola de son corps, chez Hadès.

Achille arracha sa lance du corps d'Hector, puis il le 70 dépouilla de ses armes sanglantes. Les guerriers achéens accoururent, et ils admiraient la grandeur et la beauté d'Hector. Et chacun le blessait de nouveau et ils disaient en se regardant :

« Certes, Hector est maintenant plus facile à atteindre que 75 le jour où il incendiait nos bateaux. »

Mais Achille pensa alors au corps de Patrocle qui gisait auprès des vaisseaux, mort, sans avoir été pleuré et sans avoir été enseveli. Il s'écria :

« Et maintenant, fils des Achéens, retournons aux bateaux 80 en traînant ce cadavre. Nous avons remporté une grande gloire. Nous avons tué le divin Hector ! »

Iliade, chant XXII.

« Souviens-toi de ton père... »

De retour au camp, Achille offre à Patrocle de somptueuses funérailles, mais il reste inconsolable de la perte de son ami.

Achille pleurait au souvenir de son cher compagnon ; et il n'arrivait pas à s'endormir. Et il se tournait sans cesse. Enfin, il se leva brusquement et erra tristement sur le rivage de la mer. Et, lorsque les premières lueurs de l'aube se répandirent 5 sur les flots, il attela ses chevaux, et, liant Hector derrière le char, il le traîna trois fois autour du tombeau de Patrocle. Après avoir ainsi outragé Hector, il rentra de nouveau dans sa tente pour s'y reposer et il laissa Hector étendu, le visage dans la poussière.

Cependant, Apollon, plein de pitié pour le guerrier sans vie, éloignait du corps toute souillure[1] et le couvrait de son égide[2] d'or afin qu'Achille ne le déchire pas en le traînant dans le sable.

[Chez les Troyens, le désespoir est immense : le roi Priam, qui a perdu son dernier fils, et le meilleur d'entre eux, n'a même pas la consolation de pouvoir lui faire des funérailles. Une nuit, sur le conseil de Zeus, il met tous ses trésors sur un chariot et part seul et sans armes dans le camp ennemi pour supplier Achille de lui rendre le corps d'Hector. Le vieux roi est-il devenu fou ?]

C'est ainsi que Priam arriva à la tente d'Achille, guidé par le bel Hermès, sans être vu des guerriers achéens. Il entra et se jeta aux pieds d'Achille, entourant ses genoux et baisant les mains terribles et meurtrières qui lui avaient tué tant de fils.

Achille fut troublé en voyant le vieillard arriver jusqu'à sa tente. Et ses compagnons, frappés de stupeur, se regardèrent entre eux. Priam prononça alors ces paroles suppliantes :

« Souviens-toi de ton père, ô Achille, égal aux dieux ! Il est de mon âge et sur le seuil[3] fatal de la vieillesse. Mais lui, au moins, sait que son fils est vivant et il s'en réjouit dans son cœur, et il espère tous les jours qu'il le reverra. Tandis que moi, malheureux ! je viens de perdre Hector que tu as tué alors qu'il combattait pour sa patrie et défendait sa ville et son peuple. C'est pour lui que je suis venu jusqu'ici et je t'apporte, pour le racheter, des présents infinis. Respecte les dieux, Achille, et, te souvenant de ton père, aie pitié de moi, qui suis plus malheureux que lui, car j'ai pu, ce qu'aucun

---

1. ***Souillure*** : saleté, pourrissement.
2. ***Égide*** : bouclier.
3. ***Seuil*** : limite, début.

homme n'a encore fait sur la Terre, approcher de ma bouche les mains de celui qui a tué mes enfants[1] ! »

En écoutant les paroles du vieillard, Achille se souvint de son père, et son cœur fut empli de regret. Et, prenant le vieillard par la main, il le repoussa doucement. Et tous deux, le cœur empli de regrets et de souvenirs, mêlèrent leurs sanglots. Priam, prosterné aux pieds d'Achille, pleurait son fils Hector et Achille pleurait son père et Patrocle, et leurs gémissements retentissaient sous la tente.

Enfin, Achille sentit sa douleur s'apaiser dans sa poitrine. Il se leva brusquement de son siège ; et plein de pitié pour cette tête et cette barbe blanches, il releva le vieillard et lui dit :

« Ah ! malheureux ! Comment as-tu osé venir seul jusqu'à nos bateaux et soutenir la vue de l'homme qui t'a tué tant de fils ? Ton cœur est de fer. Mais laissons nos douleurs s'apaiser car le deuil ne nous rend rien. Les dieux ont destiné les misérables mortels à vivre pleins de tristesse, et eux seuls n'ont point de soucis. Maintenant, vieillard, je sais que je dois te rendre Hector, car c'est un dieu qui en a décidé ainsi et c'est un dieu qui t'a conduit jusqu'ici. Mais, ne me parle plus et ne réveille pas les douleurs de mon âme, car, bien que je t'aie reçu comme un suppliant sous mes tentes, tu dois craindre encore que je viole les ordres de Zeus et que je te tue. »

Le vieillard obéit en tremblant à Achille. Et Achille sauta comme un lion hors de la tente. Il fit enlever du char les présents que Priam avait apportés pour le rachat d'Hector. Puis il ordonna aux servantes de laver le corps d'Hector, de le parfumer et de l'envelopper d'un des manteaux et d'une

---

1. Priam embrasse les mains d'Achille, en signe de respect et de soumission.

des tuniques que Priam avait apportés en présents. Achille souleva lui-même Hector et le plaça dans le char. Et dans son esprit, il demanda à Patrocle de lui pardonner et lui promit la moitié des présents du roi Priam.

Enfin, il revint dans sa tente et annonça au vieux roi :

5 «Ton fils t'est rendu, vieillard, comme tu l'as désiré. Il est couché sur un lit. Tu le verras et tu l'emporteras à l'aube. Maintenant, songeons au repas.»

[L'*Iliade* s'achève sur les funérailles d'Hector. La chute de Troie est racontée dans d'autres poèmes, comme l'*Odyssée* d'Homère ou l'*Énéide* de Virgile (voir p. 67-68).]

Iliade, chant XXIV.

Pour tous les extraits de l'*Iliade* : *Iliade*, trad. Leconte de Lisle, édition abrégée de Christine Maret et Yvonne Dubois, © Le Livre de poche Jeunesse, 2003, revue pour la présente édition.

IV. Le voyage d'Ulysse (Homère, *Odyssée*)

L'*Odyssée*, un difficile retour

La chute de Troie* ne marque pas la fin des peines pour tous les Achéens[1] : le héros Ulysse (*Odusseus* en grec), doit accomplir tant d'exploits pour rentrer dans son île d'Ithaque[2] et reconquérir la main de son épouse qu'Homère en fait le héros d'une autre épopée : l'*Odyssée*.

1. ***Achéens*** : Grecs partis assiéger Troie pour récupérer Hélène (voir l'*Iliade*, p. 46).
2. Voir carte p. 64.

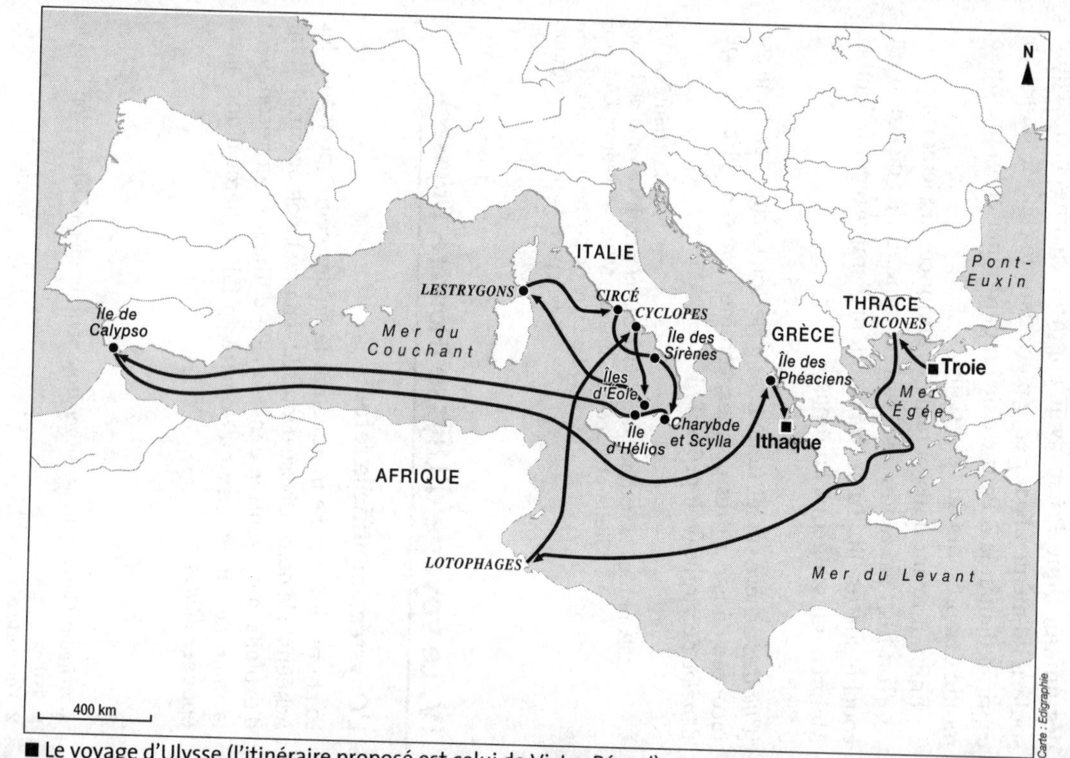

■ Le voyage d'Ulysse (l'itinéraire proposé est celui de Victor Bérard).

Ulysse, héros de l'intelligence

Ulysse est un héros très original. Au tempérament impulsif et à la force brute d'Achille, ce beau parleur et grand menteur oppose le calme et la ruse de son ancêtre, le dieu Hermès. Quand il rencontre des monstres, il ne les affronte pas comme Persée ou Héraclès mais se contente de les tromper, de les aveugler ou de leur échapper. Dernier héros de l'âge héroïque, c'est aussi le plus humain de tous : malmené pas les destins, conscient de la limite de ses forces, il parvient toujours à surmonter ses malheurs grâce à la plus grande ressource de l'être humain : l'intelligence.

À Ithaque, rien ne va plus

Dix ans après la chute de Troie, Ulysse, qui a perdu son bateau et ses hommes, aborde l'île d'Ogygie où la déesse Calypso* le retient. Elle veut faire de lui son époux et lui propose l'immortalité en échange. Mais le héros refuse, car il ne rêve que d'une chose : rentrer dans son île d'Ithaque.
À Ithaque, la plupart des princes veulent croire que le roi est mort, pour épouser la reine Pénélope et s'asseoir sur le trône : ce sont les prétendants. Seule la reine espère encore le retour de son époux, avec quelques fidèles serviteurs et son fils Télémaque, qui n'était qu'un nourrisson lorsque Ulysse partit pour la guerre. Télémaque et Pénélope sauront-ils résister aux exigences des prétendants ?

Aux premières lueurs de l'aube, Télémaque se leva, mit ses vêtements et chaussa ses plus belles sandales. Il prit son épée, et, semblable à un dieu, se rendit à l'agora[1].

Le peuple des Achéens, qu'il avait convoqué, se rassembla
5 pour écouter ses paroles. Télémaque, tenant à la main une

1. *Agora* : place publique, où se tenaient le marché et les assemblées politiques de la cité.

lance d'airain[1], monta alors sur le trône de son père, tout enveloppé d'une grâce[2] divine.

Le plus ancien des héros d'Ithaque, fidèle compagnon d'Ulysse, entonna le premier les louanges[3] du jeune homme
10 qui ne résista pas longtemps à prendre lui-même la parole. Il se leva et, puisant du courage au fond de son cœur, il exprima, devant tous, sa grande douleur devant la disparition de son père. Puis il dénonça l'avidité[4] rapace et l'insolence des prétendants qui dévoraient sans scrupule les biens d'un
15 homme disparu en mer.

Tandis qu'il parlait ainsi de son père, des larmes vinrent couler sur son visage, et le peuple, plein de compassion[5], garda le silence. Seul Antinoos, le plus insolent des courtisans, osa interrompre le fils d'Ulysse. Il se moqua de sa
20 prétention et n'hésita pas à accuser la reine, sa mère, de trahison. La reine ne cherchait-elle pas, en effet, à se jouer des prétendants et à les tromper par ses ruses ? Et Antinoos dévoila, devant tous, la ruse par laquelle la reine les faisait attendre depuis plus de trois ans. Pendant trois années,
25 Pénélope avait tissé une grande toile large et fine destinée à servir de drap mortuaire[6] pour le père d'Ulysse, lorsqu'il mourrait. Elle avait alors promis aux prétendants qu'elle choisirait son nouvel époux et le nouveau roi lorsque la toile serait achevée. Or, le travail de la reine ne prenait jamais fin
30 et l'une des servantes avait révélé son secret : la reine défai-

---

1. ***Airain*** : bronze, métal qui faisait office de fer, avant que celui-ci fût inventé.
2. ***Grâce*** : beauté, charme.
3. ***Entonna*** [...] ***les louanges*** : fit les éloges.
4. ***Avidité*** : puissant désir.
5. ***Compassion*** : pitié.
6. ***Drap mortuaire*** : tissu servant à envelopper un mort.

sait la nuit la toile qu'elle tissait le jour, afin que ses noces ne pussent avoir lieu.

Antinoos, irrité, affirma que les prétendants se vengeraient des ruses de la reine en consumant les richesses et les troupeaux d'Ulysse jusqu'à la dissipation des biens du patrimoine[1].

Homère, *Odyssée*, chant II.

Récit de la chute de Troie

Au même moment, parti de chez Calypso sur un radeau de fortune, Ulysse fait naufrage sur l'île des Phéaciens*. Il y rencontre Nausicaa, la fille du roi Alcinoos, qui l'introduit dans le palais de son père. Alcinoos le traite avec un grand respect et le convie à un banquet où un aède[2] chante des épisodes de la guerre de Troie, déjà célèbre. Ulysse, qui n'a pas encore dit son nom, s'adresse alors à l'aède.

« Aède, je t'honore plus que tous les hommes mortels car tu as admirablement chanté la destinée des Achéens, et tous les maux qu'ils ont endurés, et toutes les fatigues qu'ils ont subies, comme si tu les avais appris d'un dieu. Mais chante 5 maintenant la bataille de Troie où Ulysse vainquit les Troyens et enleva Hélène. Si tu me racontes exactement ces choses, je déclarerai à tous que ton chant est inspiré des dieux bienveillants. »

Et l'aède se mit à chanter le départ des Achéens sur leurs 10 navires rapides. Il fit le récit du siège de Troie par ces guerriers.

---

1. ***Patrimoine*** : fortune, héritage.
2. ***Aède*** : poète et chanteur.

Il conta comment les Achéens avaient construit un immense cheval de bois, puis comment ils s'y enfermèrent et entrèrent ainsi dans la puissante citadelle. Il dit encore comment les Troyens s'interrogèrent pour savoir s'ils devaient fendre ce cheval de bois creux, ou le précipiter du haut des rochers, ou le garder comme offrande[1] aux dieux. Et l'aède chanta enfin comment les Troyens tirèrent péniblement le cheval dans la cité et furent perdus lorsque les Achéens en jaillirent pour les massacrer et leur enlever Hélène.

Tandis que l'aède chantait ainsi, le cœur d'Ulysse défaillait et, sous ses paupières, montèrent les larmes qui baignèrent ses joues. Seul le roi Alcinoos le vit, et il dit alors aux Phéaciens :

« Écoutez, princes, depuis le moment où l'aède a commencé à chanter, notre hôte[2] n'a point cessé de pleurer, envahi par la douleur. Que la cithare et le chant se taisent, maintenant, afin que le deuil et les larmes disparaissent du cœur de notre hôte. Nous avons préparé son départ et nous lui avons offert des présents[3] car nous l'aimons. Un hôte est un frère pour nous.

« C'est pourquoi, étranger, ajouta le roi en se tournant vers Ulysse, ne nous cache rien et dis-nous maintenant qui sont ton père et ta mère. Dis-nous aussi quelle est ta patrie et quelle est ta ville, afin que nos nefs[4] t'y conduisent. Et raconte-nous dans quels lieux tu as erré, les pays que tu as vus et les hommes que tu as rencontrés. »

Ulysse entreprit de raconter son histoire au roi Alcinoos. Il lui révéla tout d'abord son nom car il était connu, bien au-delà de sa patrie, pour ses ruses et ses exploits. Puis il fit

---

1. *Offrande* : cadeau.
2. *Notre hôte* : ici, notre invité.
3. *Présents* : cadeaux.
4. *Nefs* : bateaux.

le récit des mésaventures qu'il avait rencontrées depuis son départ de Troie.

Odyssée, chant VIII.

Récit d'un incroyable voyage

Les Cicones

«Après notre départ de Troie, le vent me porta, tout d'abord, chez les Cicones[1] où de nombreux compagnons périrent dans d'horribles combats. Après notre victoire, j'avais donné l'ordre à mes hommes de fuir, mais ceux-ci 5 voulurent profiter du pillage. Très vite, des renforts ennemis arrivèrent et de nombreux guerriers furent tués. Je repris la mer rapidement, avec quelques compagnons, contents d'avoir échappé à la mort mais accablés d'avoir perdu beaucoup des nôtres. Nous repartîmes sur les flots tumultueux en direction 10 d'Ithaque, mais le destin nous réservait encore bien d'autres périls.»

Les Lotophages

«Une tempête se leva; elle brisa une partie des mâts et déchira la voilure. Nos navires dérivèrent pendant neuf jours. Puis nous abordâmes sur l'île des Lotophages*. Les Lotophages 15 sont un peuple curieux. Il se nourrit de la fleur de lotus, qui a le pouvoir de donner l'oubli. Après quelques jours passés dans cette île, je dus attacher certains de mes hommes qui avaient goûté à cette plante aux bancs de la nef et les forcer à embarquer car ils étaient près d'oublier leurs demeures 20 et leur patrie.»

---

1. ***Cicones*** : tribu de Thrace* où vécut Orphée (voir carte p. 64).

Le Cyclope

« Une aventure plus périlleuse encore nous attendait dans l'île des Cyclopes*. Ces géants orgueilleux et sans lois ni coutumes ne plantent ni ne sèment. Cependant, nous fûmes émerveillés par l'abondance de la terre. Puis j'eus le désir d'explorer l'île
25 et je partis au-devant, avec douze de mes compagnons, pour demander l'hospitalité[1] à ce peuple de géants. Nous parvînmes à la grotte de l'un des Cyclopes qui seul à l'écart prenait soin de son troupeau. Malgré la peur que nous inspirait ce monstre prodigieux, semblable à une montagne plus qu'à un homme,
30 nous nous approchâmes. Nous entrâmes pour explorer ses richesses. Il y avait là des fromages en grande quantité et dans les étables des chevreaux nombreux. Mes compagnons me supplièrent de voler les fromages, de conduire les chevreaux sur notre navire et de prendre la mer au plus vite. Il aurait
35 peut-être mieux valu. Mais nous attendîmes dans son antre[2] son retour et celui du troupeau.

« Quand il revint du pâturage, nous nous cachâmes, épouvantés par le fracas de sa marche, dans le fond de la grotte. Il poussa dans la caverne toutes les brebis qu'il devait
40 traire et laissa dehors les béliers et les boucs, dans un enclos. Puis il souleva un énorme bloc de pierre et le plaça contre l'entrée. Nous fûmes, alors, enfermés avec lui pour la nuit.

« Le Cyclope géant s'assit et commença de traire les brebis et les chèvres bêlantes ; puis il versa le lait dans les vases pour
45 son repas du soir. Enfin, en se dirigeant vers le fond de l'antre pour allumer du feu, il nous vit. Je lui dis qui nous étions : notre victoire à la guerre de Troie, notre gloire à travers le monde. Puis je lui demandai, au nom des dieux, l'hospitalité. Il nous répondit alors :

---

1. ***Hospitalité*** : accueil.
2. ***Antre*** : grotte.

«“Étrangers insensés, je ne vous offrirai pas l'hospitalité au nom des dieux, car les Cyclopes se moquent bien des dieux, ils sont beaucoup plus forts qu'eux. Je vous mangerai plutôt et je n'épargnerai[1] aucun de vous.”

«Puis il me demanda où était notre navire. Devinant ses intentions, je prétendis qu'il s'était fracassé contre les écueils du rivage.

«Il ne me répondit rien, mais se jeta sur mes compagnons, en saisit deux et les écrasa contre terre comme des petits chiens. Et, les coupant membre à membre, il prépara son repas. Il les dévora comme un lion des montagnes, ne laissant ni leurs entrailles, ni leur chair, ni leurs os pleins de moelle.

«Ceux d'entre nous qui restaient gémissaient de désespoir.

«Quand le Cyclope eut rempli sa vaste panse de chair humaine tout en buvant du lait sans mesure, il s'endormit, étendu au milieu de l'antre, aux côtés de ses bêtes. Et je souhaitai, du fond de mon cœur, me ruer sur lui et le tuer d'un coup de mon épée. Mais une idée me retint : en effet, une fois seuls, nous serions morts à notre tour car nous n'aurions pu déplacer le lourd rocher qui bloquait l'entrée.

«Au matin, le Cyclope saisit, à nouveau, deux de mes compagnons et prépara son repas. Dès qu'il eut mangé, il emmena paître son troupeau sur la montagne. Et je restai, méditant une action terrible et cherchant comment nous venger avec l'aide d'Athéna.

«La grande massue du Cyclope gisait au milieu de l'enclos. C'était un véritable tronc d'olivier, gros comme le mât d'une de nos nefs. Je taillai le bout de l'épieu en pointe et le passai dans le feu ardent pour le durcir. Le soir, le Cyclope revint,

1. ***Épargnerai*** : sauverai.

80 il poussa ses troupeaux dans la vaste caverne, ferma l'entrée avec l'énorme pierre, et se remit à traire les brebis et les chèvres bêlantes. Puis il plaça chaque petit sous sa mère. Ayant achevé ce travail à la hâte, il dévora de nouveau deux de mes hommes et prépara son repas.

85 «Alors je lui proposai, après qu'il eut mangé, de goûter au vin que nous portions dans nos outres[1]. Quand il l'eut goûté, il m'en redemanda encore. Il l'apprécia tant qu'il en but trois fois. Et lorsque le vin eut troublé son esprit, il me demanda mon nom afin de me récompenser pour ce nectar[2].
90 Je lui répondis ainsi :

«"Cyclope, tu me demandes mon nom. Je vais te le dire et tu me donneras ta récompense. Mon nom est Personne. Mon père et ma mère, et tous mes compagnons me nomment Personne."

95 «Le monstre poursuivit :

«"Eh bien, je mangerai Personne après tous ses compagnons. Ceci sera la récompense que je lui réserverai."

«Il parla ainsi, et il tomba à la renverse, gisant[3], emporté par le sommeil et l'ivresse, et de sa gorge jaillirent le vin et les
100 morceaux de chair humaine qu'il vomissait.

«Aussitôt, je mis l'épieu sous la cendre pour l'échauffer et rassurai mes compagnons épouvantés pour qu'ils ne m'abandonnent pas. À ce moment-là, un dieu nous inspira un grand courage et, ayant saisi l'épieu par le bout, nous l'enfonçâmes
105 dans l'œil du Cyclope.

«Le sang chaud gicla de son œil, et la vapeur de sa pupille[4] en feu brûla paupière et sourcil. Le monstre hurla horriblement

1. ***Outres*** : gourdes en peau de bouc.
2. ***Nectar*** : boisson délicieuse.
3. ***Gisant*** : couché et immobile.
4. ***Pupille*** : partie centrale de l'œil.

et les rochers en retentirent. Nous nous enfuîmes terrorisés. Le géant réussit à arracher l'épieu et appela les Cyclopes qui habitaient les cavernes voisines. Accourant de tous côtés, ils lui demandèrent pourquoi il se plaignait et qui tentait de le tuer.

«Le monstre leur répondit :

«"Ô mes amis, qui tente de me tuer ? Personne."

«Les autres Cyclopes remarquèrent :

«"Si tu es seul et si personne ne te fait violence, alors nous ne pouvons rien pour toi. Tu n'as qu'à faire appel à un dieu."

«Et je ris de voir comment mon nom et ma ruse les avaient trompés.

«Cependant, nous n'étions pas encore sortis de la caverne. Le Cyclope gémissait, et souffrait de cruelles douleurs, mais, à tâtons, il retira le rocher de l'entrée et s'assit dans le passage. Il étendit les bras, essayant d'attraper ceux qui voudraient sortir avec les brebis. Mais j'étais plus habile et je méditai un nouveau tour. Un grand danger nous menaçait et je réfléchissais à sauver la vie de mes compagnons et la mienne.

«Les béliers étaient forts et laineux, d'une laine couleur violette. Je les attachai par trois : celui du milieu portait un homme attaché sur le ventre et les deux autres, de chaque côté, le cachaient. Pour moi, je choisis un bélier, le plus grand de tous. Je le tenais par le dos, suspendu sous son ventre, et je saisis fortement de mes mains l'épaisse toison[1].

«Lorsque l'aurore aux doigts de rose[2] parut, le Cyclope, aveugle désormais, poussa les mâles des troupeaux au pâturage. Il tâta, au passage, le dos de tous les béliers, ne s'apercevant

1. ***Toison*** : pelage de laine.

2. ***L'aurore aux doigts de rose*** : l'aurore est une déesse ; le poète attribue à la couleur de ses mains les teintes rosées du ciel au petit matin.

point que mes compagnons étaient liés sous le ventre des animaux laineux. Le Cyclope était étonné que le bélier fût le dernier à sortir, et il le poussa dehors, me libérant ainsi de la grotte sans le vouloir. Lorsque nous fûmes loin de lui, je
140 détachai mes hommes et nous poussâmes le troupeau jusqu'à notre navire. Nous pûmes, ainsi, regagner nos nefs et retrouver nos compagnons qui nous attendaient. Je leur défendis de pleurer leurs camarades tués par le Cyclope, et j'ordonnai de pousser promptement[1] les troupeaux à bord et de fendre
145 l'eau salée.

« Lorsque nos navires furent à distance du rivage, je lançai au Cyclope ces paroles outrageantes[2] :

«“Cyclope, tu n'as pas dévoré, dans ta caverne creuse, les compagnons d'un homme sans courage ! Malheureux ! le
150 châtiment devait te frapper, toi qui n'as pas craint de manger tes hôtes dans ta demeure !

«“Et si quelqu'un parmi les mortels t'interroge sur la perte honteuse de ton œil, dis-lui qu'il a été arraché par le dévastateur de citadelles, Ulysse qui habite à Ithaque !”

155 « Mes paroles augmentèrent sa colère et, de ses bras puissants, il arracha des blocs de rochers à la montagne pour les lancer dans notre direction, guidé par le son de ma voix.

« Puis le Cyclope, qui était fils du dieu Poséidon, se tourna vers son père et le supplia :

160 «“Entends-moi, Poséidon aux cheveux blancs. Je suis ton fils, et, si tu te glorifies d'être mon père, accorde-moi que le dévastateur de citadelles, Ulysse qui habite à Ithaque, ne retourne jamais chez lui. Mais si sa destinée est de rentrer dans sa demeure bien construite et dans la terre de sa patrie,

---

1. ***Promptement*** : rapidement.
2. ***Outrageantes*** : blessantes.

qu'il n'y parvienne que tardivement, après avoir perdu tous ses compagnons, et sur un navire étranger. Et qu'il souffre encore en arrivant dans sa demeure !"

« Puis prenant un bloc de pierre plus lourd encore, il le fit tournoyer et le lança de toutes ses forces. Il tomba derrière la proue[1] de notre navire, manquant ainsi de nous faire chavirer.

« Il pria ainsi, et l'illustre Poséidon l'entendit.

« C'est ainsi que, plus tard, lorsque nous fûmes en mer, Poséidon songea à perdre toutes mes nefs et tous mes chers compagnons. »

Odyssée, chant IX.

[Ulysse raconte ensuite son escale chez Éole*, le dieu des vents, qui lui offre une outre contenant des vents contraires. Mais une fois repartis, ses compagnons, trop curieux, ouvrent l'outre et laissent s'échapper les vents, ce qui les détourne une nouvelle fois du chemin du retour. Après l'étape chez les Lestrygons*, un peuple de géants mangeurs d'hommes, Ulysse perd toute sa flotte, à l'exception de son propre vaisseau. Il aborde ensuite le territoire de Circé*, la fille du Soleil, qui transforme ses compagnons en pourceaux. Grâce à l'aide d'Hermès, Ulysse avale un contrepoison qui lui permet de résister aux charmes de la magicienne. Forçant celle-ci à rendre à ses compagnons leur forme humaine, il devient alors son amant et demeure chez elle une année entière. Lorsqu'il décide de reprendre la mer, Circé lui recommande de descendre aux Enfers pour y interroger le devin Tirésias, et lui donne de précieux conseils pour échapper aux pièges qui l'attendent sur sa route : le chant des sirènes et les rochers de Charybde et Scylla*.]

---

1. ***Proue*** : partie avant d'un bateau.

Les sirènes

« Lorsque l'aube aux doigts de rose parut, nous repartîmes sur les flots dangereux. Après avoir navigué quelques jours, nous approchâmes de l'île des sirènes*. Les sirènes sont des créatures dangereuses, envoûtant les navigateurs par leur
180 chant et les entraînant dans la mort. Pour échapper à leur charme maléfique, je fis ce que la magicienne m'avait dit : je bouchai les oreilles de mes compagnons avec de la cire molle de peur qu'ils n'entendent le chant des sirènes. Et je leur demandai de lier mes pieds et mes mains au mât de
185 la nef. Puis les hommes frappèrent de leurs avirons[1] la mer écumeuse.

« Lorsque les sirènes nous aperçurent, elles tentèrent de nous charmer par leur voix mélodieuse.

« "Viens, ô Ulysse, chantaient-elles, arrête ton navire, afin
190 d'écouter notre voix. Aucun homme ne dépasse notre île sur sa nef noire sans écouter notre douce voix ; puis il s'éloigne plein de joie, et de connaissances car nous savons tout ce qui arrive sur la terre nourricière[2]."

« Elles chantaient ainsi, faisant résonner leur belle voix et
195 mon cœur battait dans ma poitrine car je voulais les entendre. Je fis signe à mes compagnons de me détacher, mais, selon les ordres de Circé, ils agitèrent plus ardemment[3] leurs avirons et deux d'entre eux me chargèrent de liens plus solides encore. Lorsque nous eûmes dépassé le rocher
200 des sirènes et que nous n'entendîmes plus leur voix, ni leur chant, mes compagnons retirèrent la cire de leurs oreilles et me détachèrent.

---

1. ***Avirons*** : rames.

2. ***Terre nourricière*** : terre qui nourrit les hommes, par les produits de l'agriculture.

3. ***Ardemment*** : vivement.

«Mais à peine avions-nous laissé l'île derrière nous qu'un nouveau péril nous attendait.»

[Ulysse et ses compagnons passent entre les deux rochers monstrueux de Charybde et Scylla : Charybde engloutit les vaisseaux, et Scylla enlève les marins de leur bateau et les dévore : Ulysse perd encore quelques compagnons.]

*Sur l'île d'Hélios**

Puis ils abordent l'île de Trinacrie, où paissent les troupeaux divins d'Hélios, le Soleil. Circé a bien averti Ulysse : qu'ils ne touchent pas à ces animaux, sous peine d'encourir la colère des dieux. Mais les marins sont affamés, et leur capitaine, rompu de fatigue, s'endort profondément.

«Le doux sommeil quitta mes paupières. Je me levai, pressé de retrouver la nef et mes compagnons. Lorsque je m'approchai du port, je sentis une douce odeur de viande rôtie. En gémissant, je compris le grand malheur qui allait s'abattre sur mes hommes et je priai les dieux immortels de les épargner.

«Je leur fis des reproches violents mais il était trop tard pour remédier à leur faute, les bœufs étaient morts et les dieux manifestaient déjà leur colère par des prodiges terribles : les peaux rampaient comme des serpents, les chairs mugissaient autour des broches, cuites ou crues; on eût dit la voix des bœufs eux-mêmes.»

Une effroyable tempête

«Nous poussâmes aussitôt la nef à la mer. Mais, dès que nous eûmes déployé les voiles et quitté l'île, les dieux abattirent sur nous une série de catastrophes auxquelles il nous était

220 impossible d'échapper. Une nuée[1] épaisse enveloppa la nef et, au-dessous, la mer devint noire. La tempête rompit les deux étais[2] du mât qui tomba dans le fond du navire avec tous les haubans[3]. Il fracassa la poupe[4], brisant tous les os de la tête du pilote qui tomba à l'eau, semblable à un plongeur. Quelques 225 instants après, la foudre frappa la nef qui tourbillonna et s'emplit d'eau. Tous les hommes furent précipités à la mer. Semblables à des corneilles[5] marines, ils furent engloutis par les hautes vagues et aucun dieu ne leur permit d'échapper à la mort.

230 « Je restai seul debout sur le bateau, que les flots emportaient à leur gré. Le mât rompu, je dérivai par la force des vents. Il ne me restait plus que mes mains pour avirons et je fus entraîné ainsi pendant neuf jours. La dixième nuit, les dieux me poussèrent vers Calypso qui me recueillit et me 235 retint dans son île. Et maintenant me voici parmi vous. »

Odyssée, chant XII.

Le mendiant d'Ithaque

Les Phéaciens reconduisent Ulysse à Ithaque avec de nombreux présents qu'il cache dans une grotte, sur le rivage. Pour que les prétendants ne le reconnaissent pas, Athéna donne à Ulysse l'apparence d'un mendiant. Il est d'abord accueilli avec charité par Eumée, son ancien porcher[6], chez qui il rencontre son propre fils, Télémaque. Il lui révèle son identité, puis s'en va trouver

---

1. ***Nuée*** : nuage.
2. ***Étais*** : pièces de bois servant à consolider le mât.
3. ***Haubans*** : câbles servant à maintenir le mât.
4. ***Poupe*** : partie arrière du bateau.
5. ***Corneilles*** : ici, oiseaux marins.
6. ***Porcher*** : gardien de porcs.

Pénélope et les prétendants dans son palais, accompagné d'Eumée.

Ils approchèrent bientôt des demeures royales et s'arrêtèrent. Le son d'une cithare creuse[1] leur parvenait ainsi que l'odeur du repas.

Ulysse dit alors à Eumée :

«Va donc devant, et moi, je resterai ici. J'ai l'habitude des blessures, et mon âme est patiente sous les coups, depuis que j'ai subi tant de maux sur la mer et dans la guerre. Advienne que pourra. Il ne m'est pas possible de cacher la faim cruelle qui ronge mon ventre.»

Tandis qu'ils parlaient, un chien, qui était couché là, releva la tête et dressa les oreilles. C'était Argos, le chien du malheureux Ulysse qui l'avait nourri lui-même autrefois. Il gisait là, abandonné de tous, sans soins, rongé de vermine[2]. Dès qu'il eut flairé l'approche de son maître, il remua la queue et coucha ses deux oreilles, mais il ne put s'approcher de lui. Ulysse le vit et essuya une larme, en se cachant d'Eumée.

Eumée pénétra dans la demeure pour se rendre au milieu des prétendants. Au même moment, les ombres de la mort saisirent le chien Argos qui venait de revoir son maître après vingt ans.

Télémaque, le premier, vit Eumée s'avancer. Il lui fit signe et l'appela auprès de lui.

Un peu après, Ulysse entra dans la maison, semblable à un vieillard et à un misérable mendiant, et il s'assit au seuil[3] de la salle où tous étaient rassemblés.

---

1. Les cordes de la cithare sont tendues au-dessus d'une carapace de tortue qui sert de caisse de résonance.

2. ***Vermine*** : insectes parasites (poux, punaises, puces...).

3. ***Seuil*** : ici, sol situé autour de la porte d'entrée.

Télémaque donna alors au porcher un pain entier, pris dans la belle corbeille, et autant de viande que ses mains purent en saisir, et il lui dit :

«Porte ceci et donne-le à l'étranger, et dis-lui de mendier
30 ensuite auprès de chacun des prétendants.»

Ulysse remercia Télémaque auprès du porcher, puis dîna pendant que l'aède chantait dans le palais.

Après avoir mangé, il pria chacun des prétendants en commençant par la droite et en tendant les deux mains,
35 comme ont coutume de faire les pauvres. Il voulait distinguer les justes des injustes. Tous lui donnaient par pitié, mais ils s'étonnaient et se demandaient qui il était et d'où il venait.

Un chevrier[1] révéla alors qu'il avait vu le porcher conduire cet étranger dans le palais. Antinoos prit le porcher à part et
40 lui dit :

«Pourquoi as-tu conduit cet homme à la ville? N'avons-nous pas assez de vagabonds et de mendiants, cette calamité[2] des repas? Ne trouves-tu pas que ceux qui sont réunis ici pour dévorer les biens de ton maître ne sont pas assez nombreux
45 pour que tu aies encore appelé celui-ci? »

Eumée défendit le mendiant et Antinoos seul s'emporta contre eux, brandissant son siège pour les menacer. Mais tous les autres donnèrent à Ulysse et emplirent sa besace[3] de viande et de pain. Ulysse, avant de s'en retourner pour goûter
50 ses dons, s'arrêta auprès d'Antinoos et lui dit :

«Antinoos! Tu n'as pas les pensées qui conviennent à ta beauté. Moi aussi, j'ai habité heureux dans de riches demeures, et je donnais souvent aux mendiants, sans demander d'où ils venaient. Mais Zeus m'a dépouillé...»

---

1. ***Chevrier*** : gardien de chèvres.
2. ***Calamité*** : grand malheur.
3. ***Besace*** : sac.

55 Antinoos lui répondit ainsi :

« Quel dieu nous a apporté ce fléau[1], ce trouble-festin ? Passe au large ! »

Et il menaça Ulysse. Celui-ci alors dit :

« Tu n'as donc que la beauté, mais point de cœur ! À celui 60 qui mendierait dans ta propre maison, tu ne donnerais pas même un grain de sel, toi ! qui, assis maintenant à une table étrangère, profites de l'abondance ! »

Antinoos, redoublant de rage, répliqua :

« Je ne pense pas que tu sortes d'ici sain et sauf après un 65 tel outrage[2]. »

Il saisit son siège et frappa Ulysse à l'épaule droite ; mais Ulysse demeura ferme comme un roc. Il resta silencieux, méditant au fond de son cœur la mort d'Antinoos.

Odyssée, chant XVII.

Le jeu de l'arc

L'après-midi vint, et la déesse Athéna inspira à Pénélope de proposer une épreuve aux prétendants, car ceux-ci la pressaient de choisir l'un d'entre eux comme époux. Le divin Ulysse, au temps de son règne, possédait des haches qu'il 5 rangeait en ligne comme des mâts de navire, et il aimait s'adonner à un jeu : debout, à une assez grande distance, il les traversait toutes d'une flèche à l'aide de son arc.

Pénélope se hâta de monter avec ses servantes dans la chambre haute où étaient enfermés l'arc courbe, le carquois[3] et

1. ***Fléau*** : grand malheur, calamité.
2. ***Outrage*** : injure.
3. ***Carquois*** : étui à flèches.

10 les terribles flèches. En les décrochant, elle pleura amèrement puis, après s'être rassasiée de larmes, elle alla à la grand-salle vers les prétendants arrogants[1]. Alors, inspirée par Athéna, elle leur lança un défi : celui qui, de ses mains, tendrait le plus facilement l'arc et qui lancerait une flèche à travers les douze 15 anneaux des haches[2], celui-là pourrait l'épouser.

Elle ordonna alors au porcher Eumée de porter aux prétendants l'arc et les flèches. Eumée obéit en pleurant, et un autre serviteur fidèle, quand il vit l'arc du maître, pleura aussi.

Antinoos engagea alors les prétendants à tenter de relever 20 le défi de Pénélope.

Le premier qui tenta l'épreuve s'abîma vainement les doigts et dit aux autres :

«Amis, qu'un autre essaie. Mais je crois que nous devons renoncer à l'espoir d'épouser Pénélope. Il faut chercher une 25 femme ailleurs.»

Ils placèrent l'arc devant le feu pour l'amollir et tour à tour ils tentèrent de le tendre sans y parvenir car ils étaient loin d'avoir assez de force. Seul Antinoos ne s'était pas encore essayé.

30 Mais Ulysse prit soudain la parole :

«Écoutez-moi, prétendants de l'illustre reine. Donnez-moi cet arc, afin que devant vous je fasse l'épreuve de mes mains et de ma force, et que je voie si j'ai conservé ma puissance d'autrefois dans mes membres alertes ou bien si ma vie errante 35 me l'a enlevée!»

En entendant ces propos, tous les prétendants s'irritèrent. Ils craignaient secrètement que le misérable étranger ne réussisse à tendre la corde de l'arc.

---

1. ***Arrogants*** : orgueilleux.
2. Les lames des haches sont percées en leur milieu.

Antinoos l'injuria violemment en l'accusant d'être ivre, et lui conseilla de ne pas chercher à combattre des hommes plus jeunes que lui. Puis il s'adressa à ses amis :

« Chassons cet homme, car il ne serait point convenable qu'il prétende épouser la reine. Nous ne devons pas risquer que ce misérable parvienne à tendre l'arc, car nous devons aussi craindre l'opinion du peuple. Que penserait-il de prétendants qui ne seraient pas parvenus à faire ce qu'un misérable vagabond aurait réussi aisément ? »

Le porcher, encouragé par Télémaque, prit l'arc et l'apporta à travers la salle, au milieu du tumulte[1] et des protestations des prétendants. Il remit l'arc et le carquois empli de flèches à Ulysse dissimulé sous les traits du mendiant. Pendant ce temps, le serviteur fidèle verrouillait les portes de la demeure et de la cour.

Ulysse déjà maniait son arc, le tournant de tous côtés, examinant si les vers n'avaient point rongé la corne pendant son absence. Les prétendants murmuraient entre eux en le regardant :

« Ce vieillard doit être un amateur ou un voleur d'arc…

– Peut-être en possède-t-il un semblable dans sa demeure ?

– Comme ce vagabond, plein de mauvais desseins[2], le retourne entre ses mains ! »

Ou bien ils disaient encore :

« Plût aux dieux que[3] cet arc lui porte malheur ! »

Le subtil Ulysse, lorsqu'il eut bien soupesé[4] et étudié l'arc en tous sens, le tendit aussi aisément qu'un homme tend les cordes de la cithare. Il tendit de sa main droite la corde et

---

1. ***Tumulte*** : agitation bruyante.

2. ***Desseins*** : intentions, projets.

3. ***Plût aux dieux que*** : espérons que.

4. ***Soupesé*** : soulevé dans sa main pour peser l'objet.

la fit résonner avec ses doigts comme un cri d'hirondelle. Une amère douleur saisit alors les prétendants qui pâlirent d'angoisse. Zeus tonna fortement, faisant un signe manifeste.
70 Ulysse alors saisit une flèche qui était hors du carquois. Il l'ajusta sur l'arc, prit la corde et la plaça sur l'encoche[1] et, sans même se lever de son siège, il tira en visant juste. Il ne manqua pas une des douze haches.

Il dit alors à Télémaque :

75 «Télémaque, ton hôte te fait-il honte ? Je ne me suis pas écarté du but, et je ne me suis point longtemps fatigué à tendre cet arc ! Ma vigueur est intacte, et les prétendants ne me méprisent plus. Mais voici l'heure de préparer le souper, pendant qu'il fait encore jour.»

80 Sur ces mots, il fit un signe à son fils. Télémaque reprit son épée, il empoigna sa lance et se dressa non loin de son père, armé de l'arc.

Odyssée, chant XXI.

Le massacre des prétendants

Alors, le subtil Ulysse se dépouilla de ses haillons[2] et, armé de son arc et de son carquois rempli des flèches, bondit de sa place et s'avança vers les prétendants.

«Voici finie l'épreuve ! Maintenant je viserai une autre cible
5 encore intacte. Et j'espère l'atteindre, si Apollon m'en accorde la gloire ! »

Sur ces mots, il envoya une flèche sur Antinoos. Celui-ci s'apprêtait à boire du vin doux : il allait soulever une belle

1. ***Encoche*** : découpure faite au bout de la flèche.
2. ***Haillons*** : vieux vêtements.

coupe d'or et ne pensait pas à la mort. La flèche d'Ulysse le frappa à la gorge, et sa pointe traversa de part en part son cou délicat. Il s'effondra, la coupe s'échappa de sa main inerte[1] et un jet de sang jaillit de ses narines. Ses pieds renversèrent la table et les mets roulèrent épars[2] sur le sol.

Les prétendants, quand ils virent Antinoos tomber à terre, se levèrent de leur siège dans un grand tumulte.

Ulysse dévoila alors qui il était :

« Chiens ! vous ne reconnaissez pas votre roi Ulysse ! Vous ne pensiez pas que je reviendrais du pays des Troyens ! Et vous dévoriez ma maison et vous prétendiez épouser ma femme, ne redoutant ni les dieux de l'Olympe ni les hommes ! Maintenant votre sombre destinée va s'accomplir, vous allez mourir ! »

En entendant cela, les prétendants s'agitaient, cherchant à fuir, envahis par la peur.

Tels des oiseaux de proie fondant[3] sur leur victime, Ulysse et ses compagnons les tuèrent un à un, les frappant de tous côtés. Un horrible bruit mêlé de gémissements et de coups s'élevait dans la salle. Le sol ruisselait de sang, les prétendants ne pouvaient ni lutter ni fuir.

Certains s'élançaient aux pieds d'Ulysse et le suppliaient en affirmant n'avoir jamais insulté ses servantes ou ne pas avoir profité de ses richesses, d'autres disaient même avoir retenu leurs compagnons lorsque ceux-ci commettaient des excès. Mais le subtil Ulysse connaissait la vérité pour l'avoir vue sous son déguisement de mendiant, et en riant répondait par une moquerie. Puis, de son épée, il tuait l'homme.

---

1. ***Inerte*** : sans force.
2. ***Épars*** : éparpillés.
3. ***Fondant*** : se précipitant.

Enfin, Ulysse examina la grand-salle afin de voir si l'un des prétendants vivait encore et avait échappé à sa colère. Mais il les vit tous étendus dans le sang et dans la poussière, 40 amoncelés comme les poissons que les pêcheurs viennent de sortir du filet.

Odyssée, chant XXII.

La dernière épreuve

Restée dans ses appartements, Pénélope ignore tout de ce qui s'est passé. Ulysse envoie sa vieille nourrice lui apprendre que les prétendants sont morts et que son époux est de retour. Pénélope reconnaîtra-t-elle Ulysse, qu'elle n'a pas vu depuis vingt ans ?

Après avoir passé le seuil de la grand-salle, Pénélope alla s'asseoir en face d'Ulysse, à la clarté que répandait le feu. Ulysse, appuyé à une haute colonne, avait les yeux ailleurs, attendant que sa compagne, maintenant qu'elle l'avait vu, lui 5 parle. Mais elle resta muette. Son cœur restait saisi de stupeur. Tantôt elle reconnaissait Ulysse dans ce visage, tantôt elle doutait que ce fût lui, vêtu de ces haillons.

Comme elle restait ainsi silencieuse, Télémaque prit la parole :

10 «Malheureuse mère au cœur cruel ! Pourquoi restes-tu ainsi, loin de mon père ? Pourquoi ne t'assieds-tu point auprès de lui pour lui parler et l'interroger ? Aucune femme ne pourrait, comme toi, se tenir loin de l'homme qui après vingt ans d'absence retrouve la terre de sa patrie ! Ton cœur 15 est-il dur comme la pierre ? »

La sage Pénélope répondit alors à son fils :

«Mon enfant, mon âme demeure stupéfaite et je ne puis prononcer un mot ni questionner, ni même regarder son

visage en face ! Mais s'il est vraiment Ulysse, revenu dans sa
20 demeure, nous saurons nous reconnaître, car il est entre nous des signes secrets que tous ignorent et que nous sommes seuls à connaître. »

Le patient Ulysse, à ces mots, sourit et dit aussitôt à Télémaque :

25 « Télémaque, laisse ta mère m'éprouver[1] en cette salle ; peut-être alors me reconnaîtra-t-elle mieux ? Maintenant, comme je suis souillé de sang et recouvert de haillons, elle ne peut encore estimer qui je suis. »

Puis la reine, qui désirait éprouver son mari, demanda à la
30 nourrice d'apporter dans la grand-salle le lit qu'Ulysse avait construit lui-même.

Ulysse poussa un gémissement, et dit à sa compagne fidèle :

« Ô femme ! Quelle triste parole as-tu dite ? Qui donc a transporté mon lit ? Aucun homme même jeune, à moins
35 qu'un dieu lui vienne en aide, ne peut déplacer ce lit que j'ai fait de mes mains. »

Ulysse raconta comment, alors que dans la cour de la demeure s'élevait un robuste olivier, il l'avait lui-même taillé et avait construit la chambre nuptiale[2] tout autour, pierre
40 après pierre.

Il aurait donc fallu, pour transporter le lit, trancher l'olivier au-dessus des racines.

En entendant cela, les genoux et le cœur de Pénélope défaillirent : toutes ces paroles prouvaient que devant elle se
45 tenait son mari, Ulysse.

Elle vint à lui, l'enlaça de ses bras, baisa son visage, et dit en larmes :

---

1. ***M'éprouver*** : me tester, vérifier que je ne mens pas.
2. ***Chambre nuptiale*** : chambre des mariés.

« Ne t'irrite pas contre moi, Ulysse, toi le plus prudent des hommes. Les dieux nous ont envié la douceur d'être ensemble. 50 Ne me blâme pas de ne pas t'avoir tout de suite embrassé ! Au fond de moi-même, je craignais qu'un homme, venu ici, ne me trompe par de belles paroles ! Mais maintenant, je n'ai plus à trembler, tu m'as convaincue ! »

Elle parla ainsi, et le désir de pleurer envahit Ulysse. Il sanglo- 55 tait en serrant dans ses bras sa chère et prudente Pénélope. La vue de son mari était si douce à Pénélope qu'elle ne pouvait desserrer son étreinte[1].

La vieille nourrice prépara alors, à la lumière des torches, le lit fait de tissus et de draps moelleux. Puis elle conduisit 60 dans la chambre nuptiale Ulysse et la reine qui, joyeux, se couchèrent.

Odyssée, chant XXIII.

Pour tous les extraits de l'*Odyssée* : *Odyssée*, trad. Leconte de Lisle, édition abrégée de Christine Maret et Yvonne Dubois, © Le Livre de poche Jeunesse, 2003, revue pour la présente édition.

V. Énée et la fondation de Rome

(Virgile, *Énéide*, et l'abbé Lhomond, *Les Grands Hommes de Rome*, d'après Tite-Live)

Le voyage d'Énée et l'Empire romain

Pour Ulysse, voyager c'est rentrer à la maison, retrouver sa patrie, sa femme, son fils, son palais et son chien. Pour Énée, fils d'Anchise et de Vénus (Aphrodite dans la mythologie grecque), seul prince troyen rescapé du massacre de la guerre de Troie*, voyager c'est fuir une patrie perdue, une ville en flammes, avec son fils, son

1. ***Étreinte*** : action d'embrasser.

vieux père et ses pénates[1] pour s'embarquer vers l'inconnu, dans l'espoir de fonder un jour une nouvelle patrie, au-delà des mers. C'est en tout cas ce que lui a promis Jupiter (Zeus), qui sait que le destin de Troie est de revivre un jour, en Italie, dans une nouvelle ville qui dominera le monde : Rome.
Mais Junon (Héra), qui n'a pas oublié le choix de Pâris, demeure l'ennemie jurée des Troyens et fait tout pour empêcher Énée de s'installer en Italie. Sa haine est d'autant plus farouche qu'elle sait que les Romains, lointains descendants de ce héros, détruiront une ville qu'elle aime plus que tout : Carthage[2].
Le voyage d'Énée et la fondation de Rome nous sont rapportés par des auteurs différents.

L'*Énéide* de Virgile, « Vive Rome ! Vive l'empereur ! »

Virgile (70-19 av. J.-C.) rapporte dans l'*Énéide* le voyage d'Énée en Méditerranée, son escale à Carthage, ses amours éphémères avec la reine Didon et sa difficile installation en Italie. Ce poète, le plus illustre de tous les poètes romains, vécut à la même époque qu'Ovide. C'est à la demande de l'empereur Auguste qu'il composa cette épopée nationale, attribuant des origines héroïques et divines à l'Empire romain et à l'empereur lui-même, qui se disait descendant d'Énée. Il s'agissait également de donner une origine divine aux terribles guerres puniques[3] pendant lesquelles Rome avait combattu avec succès Carthage pour la domination de la Méditerranée occidentale.

Tite-Live et l'abbé Lhomond : de la mythologie à l'histoire

Au début de son œuvre immense, *L'Histoire de Rome depuis ses origines,* l'historien Tite-Live (59 av. J.-C.-17 apr. J.-C.) rapporte la

---

1. ***Pénates*** : ici, statuettes représentant les dieux du foyer.
2. Voir carte p. 90.
3. ***Puniques*** : carthaginoises. Les guerres puniques durèrent plus d'un siècle, et s'achevèrent par la destruction de Carthage par les Romains en 146 av. J.-C.

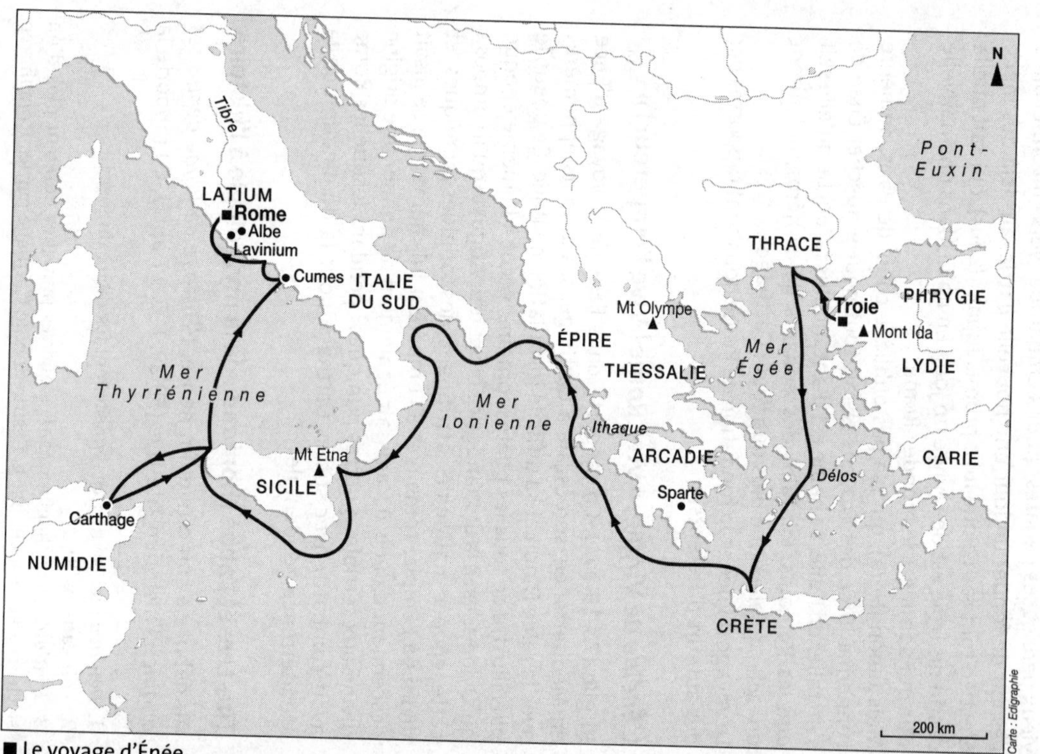

■ Le voyage d'Énée.

vie du plus célèbre des descendants d'Énée, Romulus, fondateur de la ville de Rome. Ce récit se situe encore à la frontière du mythe et de l'histoire : Romulus y est considéré comme le fils du dieu Mars et sa vie est pleine de prodiges et de magie.
Au XVIIIe siècle, à une époque où tous les écoliers de France apprenaient encore à lire et à écrire en latin, l'abbé Lhomond (1727-1794) récrivit l'œuvre de Tite-Live et celle d'autres historiens sous une forme abrégée, à l'usage des premières classes de latin : *Les Grands Hommes de Rome*.

Didon et Énée

Si l'on en croit Virgile, après leur départ de Troie, Énée et sa flotte errent en Méditerranée, se rapprochant lentement de l'Italie. Quand ils quittent la Sicile*, Junon demande à Éole, le roi des vents, de provoquer une tempête pour les faire périr. Mais le dieu de la mer Neptune (Poséidon) calme les flots et sauve les héros qui s'échouent sur la côte africaine, où la reine Didon est en train de fonder une nouvelle cité : Carthage. Comme Énée, Didon a dû fuir sa patrie, Tyr[1], sur la côte phénicienne, après que le roi son frère eut assassiné son époux pour s'emparer de ses richesses.
Ne sachant s'il trouvera dans ce pays un peuple hospitalier, Énée laisse ses compagnons cachés sur le rivage et part en reconnaissance avec son fidèle compagnon, Achate.

Une heure plus tard, Énée et Achate arrivent aux portes de Carthage.

Tout est admirable dans la ville : la masse des édifices, la matière dont ils sont faits, l'activité de la foule. Ici, l'on
5 creuse un vaste port, là on construit une citadelle; plus loin, on jette les fondements d'un théâtre, ailleurs, on taille dans

1. Voir carte p. 114. Tyr est également la patrie d'Europe, enlevée par Zeus (voir p. 39).

le roc d'immenses colonnes. Énée et son compagnon croient voir une ruche pleine de diligentes[1] abeilles. Ils se dirigent vers le centre de la ville où se dresse un bois sacré aux épais
10 ombrages et où Didon fait bâtir à Junon un énorme temple tout de bronze.

Énée, étonné, fixe ses regards sur l'édifice. Une série de bas-reliefs[2] représente la guerre de Troie, ses différents épisodes. Il reconnaît Achille, Hector, les fils d'Atrée[3], Ulysse et le
15 funeste[4] cheval de bois, Priam, égorgé au pied des autels[5]. Les larmes jaillissent des yeux du Troyen à cette vue des malheurs de sa patrie et des siens. Et tandis qu'il est perdu dans cette muette contemplation[6], celle qu'il cherchait vient encourager ses ouvriers.

20 La reine Didon est belle comme une déesse. Sur ses cheveux aux reflets d'or, elle a posé un voile transparent que retient une couronne d'or. Une longue robe de pourpre[7] vêt son corps harmonieux et, tout en marchant, elle caresse avec nonchalance[8] la tête d'un blanc lévrier. On croirait voir passer Diane[9]
25 conduisant ses chœurs[10] de danse aux bords de l'Eurotas[11].

---

1. ***Diligentes*** : actives.
2. ***Bas-reliefs*** : sculptures qui se détachent d'un mur.
3. ***Fils d'Atrée*** : Agamemnon, chef des Achéens, et Ménélas, époux d'Hélène.
4. ***Funeste*** : qui apporte la mort.
5. ***Autels*** : tables de pierre sur lesquelles on offrait des sacrifices et auprès desquelles se réfugiaient les suppliants pour se mettre sous la protection des dieux.
6. ***Contemplation*** : observation attentive et rêveuse.
7. ***Pourpre*** : couleur rouge violet caractéristique des vêtements royaux.
8. ***Nonchalance*** : calme, insouciance.
9. ***Diane*** : déesse de la chasse.
10. ***Chœurs*** : ici, groupes de danseuses et de musiciennes.
11. ***Eurotas*** : fleuve coulant à Sparte (voir carte p. 12).

«Voici Anthée, voici Cléanthe, voici Sergeste[1], fait tout bas Achate à Énée en lui désignant ces mêmes Troyens que la tempête avait séparés d'eux et qui s'approchent en suppliant la reine de Carthage. Nous joindrons-nous à eux ?

30 – Attendons encore, dit Énée qui retient son ami. Nul ne nous a remarqués. Voyons comment cette reine accueillera les Troyens proscrits[2]. Nous devons agir avec prudence. Attendons et écoutons.»

Mais Énée est bien vite rassuré. C'est avec bienveillance 35 que la reine, assise sur un trône, au seuil[3] du temple inachevé, écoute le récit suppliant que lui fait Ilionée, un vénérable Troyen, de l'effroyable tempête.

«Ne craignez rien, Troyens, dit doucement Didon quand Ilionée s'est tu. Peut-être l'accueil de mes Phéniciens vous 40 a-t-il paru méfiant et rude, mais un empire qui se fonde doit être sévère aux nouveaux venus s'il veut avoir de durables bases. Je vous aiderai. Que je souhaiterais que votre roi Énée eût pu comme vous aborder dans ce port – car la renommée des courageux Troyens est venue jusqu'à moi ! Mais je vais 45 envoyer des émissaires[4] le long des côtes afin qu'ils puissent le guider jusqu'ici, s'ils le rencontrent sur le rivage ou dans les forêts.

– Reine, s'écrie à ce moment Énée en fendant la foule, voici celui que tu daignes[5] chercher. Comment reconnaître 50 tes bienfaits, grande reine qui as pitié des malheureux, et qui

---

1. ***Anthée*, *Cléanthe*, *Sergeste*** : compagnons d'Énée. Le héros retrouve ici un groupe de ses compagnons, provenant d'un autre navire également échoué sur le rivage africain.
2. ***Proscrits*** : chassés, exilés.
3. ***Seuil*** : ici, sol situé autour de la porte d'entrée.
4. ***Émissaires*** : messagers.
5. ***Daignes*** : acceptes de.

leur ouvres ta ville ! Les dieux seuls peuvent t'en récompenser. Et les siècles garderont la mémoire de celle qui accueillit avec tant de bonté les restes des descendants de Dardanus[1].

Didon a levé en souriant les yeux sur le héros troyen. 55 Mais son sourire s'arrête sur ses lèvres de rose. Une soudaine rougeur couvre ses joues et sous l'étoffe brillante de son vêtement son cœur palpite avec force.

Car Énée est d'une beauté si majestueuse, si différente de celle de ses compagnons (n'est-il pas le fils de Vénus, la déesse 60 suprêmement belle ?) que Didon, interdite[2], est comme frappée de la foudre. Elle contemple sans un mot ce visage aux yeux sombres, aux cheveux de soleil dont les longues boucles caressent des épaules blanches et musclées. La haute stature du Troyen, sa cuirasse rutilante[3] aux agrafes d'or éblouissent 65 la Tyrienne. Elle soupire et balbutie :

« Ainsi tu es Énée, fils d'Anchise et de la déesse Vénus ; c'est toi qui, gendre de Priam, vis mourir ton épouse Créüse dans Troie incendiée ? Je bénis la puissance qui t'a jeté sur ces rives. Moi aussi j'ai souffert et c'est pour cela que j'ai appris à 70 secourir le malheur. Suis-moi dans mon palais, ainsi que tous tes compagnons ; un banquet vous reposera de vos fatigues. Je veux qu'avant ce soir tous les Troyens qui ont si durement erré des années soient mes hôtes[4] choyés. »

Et, suivie de tous ses courtisans et des Troyens, elle gagne 75 son palais.

Virgile, *Énéide*, chant I.

---

1. ***Dardanus*** : ancêtre des rois de Troie.
2. ***Interdite*** : ébahie, stupéfaite.
3. ***Cuirasse rutilante*** : armure très brillante.
4. ***Hôtes*** : invités.

«Sauve qui peut !»

Lors d'un fastueux banquet, Énée fait à Didon le récit de la chute de Troie : la ruse du cheval de bois, le massacre puis l'incendie qui s'ensuivit. Il raconte que, au cours de cette terrible nuit, le fantôme d'Hector lui apparut, lui expliquant qu'il ne pouvait rien pour sauver la ville et lui ordonnant de partir avec les siens et les pénates de la cité pour fonder une nouvelle Troie au-delà des mers. Mais Anchise, le père d'Énée, était résolu à mourir sur le sol de ses ancêtres...

«"Mon père, criai-je à Anchise qui, assis près de l'autel de nos dieux, attendait avec calme l'irruption des Grecs, quittons Troie, il le faut. Nous nous réfugierons dans les forêts du mont Ida*, nous armerons des navires, puis nous irons vers 5 des contrées où la vie sera douce, hors de l'atteinte des Grecs. Viens, viens, mon père."

«J'avais pris dans mes bras mon fils Ascagne, qui s'accrochait à mon cou en gémissant. Créüse[1] avait saisi la main du vieillard. Tous nos serviteurs se chargeaient en hâte des riches- 10 ses du palais. Anchise secoua la tête :

«"Je ne partirai pas, dit-il. C'est dans Troie que je veux mourir, mais vous êtes jeunes, vous devez vivre. Fuyez."

«Nous nous jetâmes à ses genoux, le suppliant avec des larmes. Mais en vain.

15 «"Eh bien, dis-je en remettant mon fils entre les bras de sa mère et en reprenant mon glaive et mon bouclier, je m'en vais au combat ; nous ne mourrons pas sans vengeance. Car tu ne peux penser, père, que je partirai d'ici sans toi."

«Créüse tomba à mes pieds en poussant des cris déchi- 20 rants.

---

1. ***Créüse*** : épouse d'Énée.

«“Grâce pour notre fils ! criait-elle. Ne permets pas qu’il meure !”

« Soudain, un cri de mon père nous fit tous retourner.

« Sur la tête bouclée d’Ascagne une flamme légère venait de 25 s’allumer ; elle léchait doucement ses cheveux blonds, faisant autour de sa tête comme une auréole de gloire.

« Apeurés, nous nous précipitâmes ; je fis couler sur la chevelure embrasée l’eau d’une fontaine.

«“Un présage ! c’est un présage ! criait Anchise levé, trans- 30 figuré[1]. Ô grand Jupiter, est-ce donc vrai ? Mon petit-fils régnera ?”

« Un coup de tonnerre sembla lui répondre et, glissant du ciel, une étoile à la longue traîne étincelante courut au-dessus des palais et s’enfonça dans les noires forêts du mont Ida.

35 «“En route ! s’écria mon père. Jupiter me montre le chemin au bout duquel est la gloire de ma race. Partons, je suis prêt.”

« Le vieillard enroula dans un pli de son manteau les objets sacrés, les dieux Pénates[2] de Troie et, prenant mon bras, 40 se dirigea en chancelant vers le seuil que léchaient déjà les flammes de l’incendie.

«“Père, dis-je, laisse-moi te porter. Ainsi nous nous sauverons ou nous périrons ensemble.”

« Je saisis le vieillard entre mes bras et l’assis sur mes épaules, 45 puis, prenant mon fils par la main, je sortis à pas rapides de la demeure de mes pères. Derrière moi venait ma femme. Nos serviteurs couraient à nos côtés, muets et haletants. »

Énéide, chant II.

---

1. ***Transfiguré*** : dont le visage est transformé.
2. ***Pénates*** : ici, ces dieux romains protecteurs sont ceux de la cité tout entière.

ici quelques œuvres d'art
i représentent des épisodes
s textes reproduits
ns cet ouvrage.
sayez de les reconnaître !

3

4
© AKG-Images/Erich Lessing

5

6

7

8

9

Voici les titres ou sujets des œuvres ; essayez de les associer à chacune des représentations :

A. *Adam et Ève chassés du Paradis*, de Michel-Ange (1508-1512, fresque de la chapelle Sixtine, Vatican)

B. *L'Enlèvement des Sabines*, de Nicolas Poussin (v. 1637-1638, huile sur toile, musée du Louvre, Paris)

C. *Crucifixion*, d'Emil Nolde (1912, huile sur toile, fondation Nolde, Seebüll)

D. *Ménélas vainqueur*, d'Honoré Daumier (1841, lithographie issue de la série « Histoire ancienne », BNF, Paris) ; elle est accompagnée des vers suivants (*Iliade*, trad. Bareste)

« Sur les remparts fumants de la superbe Troie
Ménélas fils des dieux comme une riche proie
Ravit sa blonde Hélène et l'emmène à sa cour
Plus belle que jamais de pudeur et d'amour. »

E. *La Naissance du Christ*, ou *Te Tamari No Atua*, de Paul Gauguin (1896, huile sur toile, Nouvelle Pinacothèque, Munich)

F. *Cronos et Rhéa* (Ier-IIIe siècle apr. J.-C., bas-relief romain, musée du Capitole, Rome)

G. *Ulysse et les sirènes* (v. 480-470 av. J.-C., stamnos à figures rouges, British Museum, Londres)

H. *Persée*, de Benvenuto Cellini (1553, bronze, Loggia dei Lanzi, Florence)

I. *David et Goliath*, de Titien (v. 1540, huile sur toile, basilique Santa Maria della Salute, Venise)

Réponses : **A** 6 ; **B** 5 ; **C** 9 ; **D** 3 ; **E** 8 ; **F** 1 ; **G** 4 ; **H** 2 ; **I** 7.

[Énée raconte ensuite la mort de sa femme Créüse dans l'incendie de la ville, le départ de Troie puis le voyage au cours duquel il a croisé des dangers familiers à Ulysse, comme l'île des Cyclopes et Charybde et Scylla. Durant le voyage est mort Anchise, que les Troyens ont enseveli en Sicile juste avant d'arriver à Carthage.]

Jupiter intervient

Charmée par Énée, Didon le persuade de demeurer à Carthage. Grâce aux manœuvres de Junon, un amour naît entre Énée et Didon : n'est-ce pas le meilleur moyen de retenir les Troyens loin de l'Italie ?
Quand Jupiter s'aperçoit de la situation, il convoque son fils Mercure (Hermès, dans la mythologie grecque), le messager des dieux.

« Mon fils, lui dit-il, prends ton essor, je veux t'envoyer auprès des hommes. Au-delà de la Grande Mer[1], sur la côte d'Afrique, un Dardanien[2] que j'aime est en péril. Cours vers Énée, fils d'Anchise, et dis-lui mon ordre. Qu'il quitte
5 Carthage promptement[3] et qu'il lance ses vaisseaux vers le Nord, vers cette Italie où ses descendants doivent régner avec gloire. Qu'il déjoue les pièges de Didon et qu'il ferme son cœur à l'amour intéressé de cette reine. Ce n'est pas pour être esclave des Tyriens[4] que je l'ai laissé sortir vivant de la
10 destruction de sa cité. La postérité[5] d'Ascagne doit régner sur

1. ***Grande Mer*** : mer Méditerranée.
2. ***Dardanien*** : Troyen. Voir note 1, p. 94.
3. ***Promptement*** : rapidement.
4. ***Tyriens*** : Carthaginois. Didon est originaire de Tyr.
5. ***Postérité*** : descendance.

Rome, l'immense ville. Énée est le porteur de flambeau de cette gloire. Que toute autre pensée, que toute autre attente disparaissent de son esprit. Qu'il parte, sur-le-champ, tel est mon ordre. »

Énéide, chant IV.

Un départ tragique

Bien qu'amoureux de Didon, Énée respecte la volonté des dieux et ordonne à ses hommes d'embarquer sur leurs vaisseaux. Lorsque Didon apprend le départ de son amant, folle de rage, elle donne à sa sœur Anne un ordre mystérieux.

« Ma sœur, aide-moi à préparer un bûcher sur cette terrasse.
– Un bûcher ? fait Anne étonnée et inquiète.
– Oui (et Didon trouve la force de sourire). Je veux brûler et détruire tout ce qui a appartenu, ne fût-ce qu'une minute, à
5 cet homme, dans mon palais : le lit où il s'est reposé, la table où il s'est assis, les vêtements, les armes qu'il a quittés pour prendre ceux que je lui donnais. Nous dresserons des autels autour du bûcher, afin d'y invoquer l'Érèbe, le Chaos, la triple Hécate[1], les divinités infernales. »
10 Du haut de la terrasse de son palais, Didon a perçu dans la vague lueur de l'aube commençante le mouvement de la flotte d'Énée ; le cri de joie des Troyens est monté jusqu'à elle. Alors, elle se rue sur ce lit qui se dresse, promis à la flamme du bûcher.
15 « C'est fini ! crie-t-elle en déchirant sa poitrine de ses ongles et en s'arrachant les cheveux. Qu'avais-je donc espéré encore !

1. ***Érèbe***, ***Chaos***, ***Hécate*** : divinités des Enfers.

Oh ! n'avoir pu les massacrer, lui, ses compagnons, son Ascagne ! N'avoir pu les anéantir avant de disparaître ! Sombres divinités de la vengeance, entendez-moi ! Que l'insensible qui
20 m'a fuie ne jouisse pas du trône qu'il convoite[1], qu'il meure avant la vieillesse et que son corps demeure sans sépulture[2]. Qu'à jamais entre les Tyriens et la race de Dardanus se dresse une haine inapaisable. Dieux ! suscitez-moi[3] un vengeur dans l'avenir, un vengeur qui fasse payer cher au peuple d'Italie la
25 douleur et la mort de la reine de Carthage. »

Hagarde[4], éperdue, Didon a saisi le glaive d'Énée, elle s'en frappe et tombe. Autour d'elle une clameur retentit. Ses femmes affolées s'enfuient en hurlant.

« La reine est morte ! » crient-elles.

30 En un instant, Carthage est remplie de cette nouvelle. Les lamentations, les gémissements s'élèvent dans la ville entière. On dirait qu'envahie par l'ennemi la cité s'écroule et que l'incendie roule, furieux, sur les temples et les palais.

Anne a chancelé sous le coup qui la frappe au cœur.
35 Elle s'élance vers la mourante, la serre sur son sein, cherchant à la réchauffer de son étreinte[5] et séchant avec sa robe le sang qui coule de la blessure.

Didon soulève un peu sa tête appesantie. Elle jette à sa sœur un triste regard d'adieu. Ses lèvres s'entrouvrent sur un
40 mot, sur un nom. Puis brusquement, son front retombe. Sa pensée s'est envolée.

Énéide, chant IV.

---

1. ***Convoite*** : cherche à obtenir.
2. ***Sépulture*** : tombeau.
3. ***Suscitez-moi*** : faites naître pour moi.
4. ***Hagarde*** : qui a une expression égarée et farouche.
5. ***Étreinte*** : embrassement.

Énée aux Enfers

Détournés par une autre tempête, les Troyens accostent à nouveau en Sicile, où le fantôme d'Anchise apparaît à Énée : il l'attend, dit-il, au royaume des morts. Énée navigue alors jusqu'au rivage de Cumes* où la Sibylle Déiphobé, prêtresse d'Apollon, lui prédit les combats qu'il devra mener dans le Latium[1], puis l'envoie chercher un rameau d'or dans un bois sacré. S'il le trouve, dit-elle, *c'est le signe* que les dieux approuvent son voyage aux Enfers pour retrouver Anchise. Quand Énée rapporte le précieux rameau, la Sibylle accepte de lui servir de guide.

Et elle s'élance avec une sorte de fureur sur les pentes de nuit qui s'ouvrent devant eux. Une pénombre[2] les entoure. Énée croirait marcher dans un bois sombre, mal éclairé d'un mince croissant de lune. Il aperçoit çà et là des formes aux hideux
5 visages, des formes sans corps, impalpables[3] comme la pensée.

«Tu vois là, lui dit à voix basse la Sibylle, les fléaux[4] des hommes, les Maladies, la Vieillesse, la Crainte, la Faim, la Pauvreté, la Souffrance, le Sommeil frère de la Mort, les Joies mauvaises, la Guerre, la Discorde[5] avec sa chevelure de vipères.
10 Là-bas, ce sont les Songes vains[6], les formes monstrueuses de cauchemars, les Centaures et les Chimères, les Gorgones et les Harpyes[7]. Mais ne crains pas ces sifflements, ces gueules

---

1. ***Latium*** : région d'Italie où, plus tard, sera fondée Rome (voir carte p. 90).
2. ***Pénombre*** : demi-obscurité.
3. ***Impalpables*** : insaisissables.
4. ***Fléaux*** : malheurs, catastrophes.
5. ***Discorde*** : dispute. C'est cette déesse (*Éris* en grec) qui est à l'origine de la guerre de Troie (voir p. 46).
6. ***Vains*** : faux.
7. ***Centaures***, ***Chimères***, ***Gorgones***, ***Harpyes*** : monstres.

ouvertes tendues si horriblement vers nous, ce ne sont que des ombres[1].»

15 Les deux voyageurs s'arrêtent enfin. Un large fleuve bourbeux[2] aux eaux bouillonnantes leur barre le passage. Sur ses bords se presse une foule muette mais qui tend ses mains avec supplication vers l'onde[3] sombre.

« Que prient ainsi tous ces malheureux et qui sont-ils ?
20 demande Énée à son guide.

– Cette foule est celle de tous les morts sans sépulture. Ceux à qui la piété de leurs parents ou de leurs amis n'a pu donner de tombeau. Ils errent sur les rives du Styx pendant cent ans avant de pouvoir franchir le fleuve, et celui qu'ils
25 supplient ainsi c'est le nocher[4], c'est Charon le passeur, qui dans sa barque sombre porte les âmes des morts vers les Champs élyséens[5].»

En apercevant Charon, Énée a peine à dissimuler son dégoût. Jamais, sur la Terre, il n'a vu un visage d'une saleté
30 aussi repoussante, d'une expression aussi dure. Le vieux nocher a arrêté son radeau près de l'endroit où se tiennent Énée et la Sibylle et il interpelle ces mortels audacieux :

« Que venez-vous faire ici ? leur dit-il avec colère. Ces lieux appartiennent aux Ombres, au Sommeil, à la Nuit. Il m'est
35 défendu de passer des vivants sur le fleuve du Styx. Quel perfide dessein[6] vous amène ? »

La Sibylle élève alors au-dessus de sa tête le rameau d'or qu'elle tenait caché sous son manteau. À cette vue, la figure

---

1. Voir note 1, p. 26.
2. ***Bourbeux*** : boueux.
3. ***Onde*** : eau.
4. ***Nocher*** : pilote d'un bateau.
5. ***Champs élyséens*** : partie des Enfers réservée aux âmes bonnes.
6. ***Perfide dessein*** : intention mauvaise, méchant projet.

de Charon se rassérène[1], il aide les deux voyageurs à monter
40 dans sa barque et les transporte sur l'autre rive, sans plus de questions.

« Courage ! fait la Sibylle à Énée en l'entraînant sur le bord limoneux[2] où ils viennent de descendre. Ne t'écarte pas de moi. Nous allons passer devant Cerbère, le monstre à trois
45 têtes qui garde le seuil infernal. J'ai préparé, pour assouvir sa faim enragée, ce gâteau de miel qui enrobe des graines soporifiques[3]. Aussitôt après l'avoir mangé, le monstre s'endormira et nous passerons sans danger devant lui. »

Cerbère s'est jeté sur le gâteau. Bientôt il se couche, il
50 s'endort, la Sibylle et Énée s'élancent et franchissent le seuil de mort.

« Dieux ! fait Énée dont les yeux se remplissent de larmes. Cette ombre qui glisse, farouche, et qui fuit à travers cette forêt de myrtes[4], n'est-ce pas Didon ? Oh ! reine, reine infortunée[5], quoi,
55 tu n'as pu survivre ? Sans savoir ta fin, je la craignais. Hélas ! pourquoi les dieux ne m'ont-ils pas permis d'empêcher ce crime contre ta jeunesse ? Didon, jusqu'à mon dernier souffle, je te verrai ainsi, errante et pâle, et mon cœur ne cessera de t'aimer. »

Les sanglots d'Énée retentissent en vain. Celle qu'il pleure
60 passe, indifférente à sa peine. En mourant, son cœur détestait ce Troyen. Au séjour des Morts, les sentiments de haine habitent encore son âme.

En soupirant, Énée reprend sa marche derrière son guide, cherchant à cuirasser son cœur contre tant de douleurs qui le
65 frôlent.

---

1. ***Se rassérène*** : s'apaise.
2. ***Limoneux*** : boueux.
3. ***Soporifiques*** : qui provoquent le sommeil.
4. ***Myrtes*** : arbrisseaux à feuilles persistantes.
5. ***Infortunée*** : malheureuse.

Puis, c'est la foule des guerriers morts en combattant et qui errent parmi les Champs fleuris. Énée tend les bras à ses compagnons de lutte de naguère[1]. Voilà le roi Priam, ses fils, ses gendres, tous ceux qui sont tombés dans les champs 70 phrygiens[2], entre les murailles de la cité incendiée.

«Amis ! murmure le héros, avec quelle douloureuse joie je vous retrouve. Vaillants défenseurs de la patrie, souvenirs vivaces dans mon cœur ! Des noms sur des lèvres, des ombres dans ce noir séjour, voilà tout ce qui reste de tant d'hommes 75 courageux…

– Viens, viens, fait la Sibylle en entraînant Énée, ne te livre pas aux tristes réflexions que fait surgir en toi la vue des âmes errantes. Sois satisfait au contraire de connaître encore les douceurs de la vie alors que la mort nous entoure. Hâtons-80 nous. Voici l'endroit où bifurque la route. Celle-ci sur la droite est celle que nous devons prendre, c'est le chemin de l'Élysée, du séjour des âmes heureuses. Là tu retrouveras toutes ces ombres, d'autres encore, toutes les ombres de ceux qui vécurent dans l'honneur et dans la vertu. L'autre route mène 85 au Tartare maudit.»

Tout en suivant son guide sur le bon chemin, Énée ne peut s'empêcher de tourner curieusement la tête vers le lieu où s'enfonce la voie des tourments[3].

Un énorme rocher se profile à l'horizon ; il est ceint[4] de 90 larges remparts qu'entoure un triple mur. Le Phlégéton aux eaux enflammées l'enveloppe de ses vagues tumultueuses. Une tour de fer se dresse au sommet du roc et une énorme

---

1. ***Naguère*** : il y a peu de temps.
2. ***Champs phrygiens*** : plaine de Troie*.
3. ***Tourments*** : souffrances.
4. ***Ceint*** : entouré.

porte d'airain[1] barre l'entrée. Des cris horribles, des bruits de chaînes, des claquements de fouets retentissent.

95 «Déiphobé, dit Énée qui sent son cœur palpiter de crainte, qui donc crie ainsi ? Quel châtiment peut arracher à des êtres d'aussi terribles plaintes ?

– Ne t'émeus point, commande la Sibylle en pressant le pas. Ceux que l'on punit en ce lieu d'épouvante, ceux que 100 Tisiphone[2] flagelle[3] de coups de fouet reçoivent là la juste récompense de leurs crimes sur la Terre. Tu verrais là, dans le profond Tartare, tous ceux qui ont volé, tué, haï leurs frères humains, ceux qui ont trahi leurs serments, qui ont vendu leur patrie.»

105 La Sibylle et Énée arrivent enfin devant les portes du bienheureux séjour.

Devant les yeux enchantés d'Énée s'ouvre alors un horizon que nul mot humain ne peut dépeindre. Un soleil, près duquel celui qui éclaire la Terre n'a qu'une faible lumière, inonde un 110 éther[4] transparent de ses rayons pourpres. Des prairies, des bosquets[5] pleins de fleurs et d'oiseaux merveilleux offrent de toutes parts leurs parfums ou leurs ombres chantantes.

Tous les plaisirs de la Terre, d'autres plus beaux, plus doux encore, inimaginables à nos sens restreints, occupent la vie 115 des ombres bienheureuses. Les danses, les jeux, la musique, les luttes, les courses joyeuses mettent leur ardeur parmi la magnificence[6] des choses. Chacune des âmes retrouve ampli-

---

1. ***Airain*** : bronze, métal qui faisait office de fer, avant que celui-ci fût inventé.
2. ***Tisiphone*** : déesse vengeant les meurtres.
3. ***Flagelle*** : fouette.
4. ***Éther*** : air pur.
5. ***Bosquets*** : groupes d'arbres.
6. ***Magnificence*** : richesse et beauté.

fiées les joies saines qu'elle aimait dans la vie. Nul ennui, nulle satiété[1] ne s'emparent d'elle, le renouveau de son plaisir est éternel. Au front de toutes ces ombres s'enroule un bandeau blanc, en symbole de pureté et de joie.

Énée ne peut retenir un cri de joie en apercevant l'ombre chérie de son père. Il court à Anchise, lui tend les bras en pleurant, cherchant à étreindre contre sa poitrine, contre le battement de son cœur, la forme diaphane[2] qui est l'enveloppe de l'âme paternelle. Mais les baisers du héros passent comme des souffles vains sur l'impalpable présence.

« Ne pleure pas, ô mon fils, dit Anchise en souriant, quelles étreintes valent le rapprochement de nos âmes, leur tendre union à travers la barrière de la vie ? Ton amour filial[3] n'a pas hésité devant les dangers de ce voyage au séjour des Morts. Je t'attendais et tu es venu !

– Ô mon père, mon père, fait Énée dont les yeux sont baignés de douces larmes, les portes du Tartare elles-mêmes ne m'auraient point arrêté dans mon élan vers toi. J'ai laissé ma flotte à l'ancre dans la mer Tyrrhénienne* et le guide que tu m'avais indiqué m'a mené jusqu'ici. Mon père, es-tu heureux ? »

Anchise, sans répondre, montre d'un geste à Énée surpris le spectacle du vallon où il aime à se promener.

Un fleuve aux eaux paisibles d'un transparent azur coule entre des rives fleuries et des halliers[4] ombreux, et, le long des berges, ainsi qu'on voit dans les prés, dansant dans les rayons

---

1. ***Satiété*** : arrêt du désir après sa satisfaction.
2. ***Diaphane*** : transparente.
3. ***Amour filial*** : amour d'un enfant pour ses parents.
4. ***Halliers*** : groupes de buissons.

du soleil, les innombrables et bourdonnants insectes qui se
145 posent sur la blancheur des calices[1], une foule se presse, se penche vers l'onde, y boit avec délice à sa fraîcheur.

Énée ne peut compter les hommes et les femmes qui composent cette foule, tant ils sont nombreux.

« Qui sont-ils ? demande à Anchise le héros qui ne peut
150 se lasser de contempler ce spectacle. Où vont ces hommes ? Pourquoi se désaltèrent-ils ainsi à la coupe du fleuve[2] ?

– Ce fleuve s'appelle le Léthé[3], dit le vieillard, et ses eaux apportent l'oubli à qui s'y désaltère. Toutes ces formes que tu vois sont des âmes qui attendent des corps. Déjà elles
155 ont vécu sur la Terre dans des enveloppes de chair, elles ont souffert, aimé, haï. Le Léthé leur enlève le souvenir de leurs maux terrestres[4].

– Ainsi, ces âmes ont connu la fatigue de vivre ! fait Énée avec étonnement, et elles ambitionnent encore de quitter ce
160 séjour enchanteur ?

– Elles sont oublieuses du passé, dit Anchise qui hoche la tête. Le désir, l'ardeur de vivre sont éternels dans chaque être, homme ou plante, monde ou parcelle de poussière. Et comme les âmes ne meurent pas, celles qui étaient sans
165 crimes vrais et qui se sont purifiées de leurs souillures[5] par mille ans d'attente recommencent sans cesse à vivre. Tu me demandais si je suis heureux dans ce lieu, ô mon fils ? Oui, car – on te l'a dit peut-être – je passe mes jours penché sur

1. ***Calices*** : ici, fleurs.
2. ***À la coupe du fleuve*** : en buvant l'eau du fleuve.
3. ***Léthé*** signifie « oubli » en grec.
4. ***Leurs maux terrestres*** : les malheurs qu'ils ont connus pendant leur vie sur terre.
5. ***Souillures*** : impuretés.

l'Avenir. Tu vas me comprendre. Viens, Approchons-nous du
170 fleuve. »

Anchise entraîne le héros et ils arrivent bientôt au milieu de la foule silencieuse qui passe, passe, sans arrêt.

« Voici l'Avenir, dit Anchise d'une voix profonde en désignant à Énée des hommes de haute taille dont le front
175 large et droit a quelque chose d'impérieux[1] – masques de chefs et de rois. Voici ceux de notre race qui feront de nous, Troyens vaincus et exilés, les ancêtres vénérés d'un peuple surhumain. Énée, sur la terre d'Italie te naîtra un fils. Ce sera le rejeton de ta vieillesse. Il vivra peu mais assez pour
180 transmettre à son fils la couronne d'Albe-la-Longue. Et voici Procas, Capys, Numitor, Silvius Énée, nos descendants ; voici Romulus, fondateur de la ville, de notre Ville, de l'illustre Rome, reine du monde et féconde en héros.

Énéide, chant VI.

Pour tous les extraits de l'*Énéide* : *Contes et légendes de l'Énéide*, adaptation de G. Chaudon, © Nathan, 1991, abrégée pour la présente édition.

[Anchise a vu juste : après la descente d'Énée aux Enfers, les Troyens poursuivent leur voyage vers le Nord et parviennent au pays des Laurentes, où un présage leur indique qu'ils sont parvenus au terme de leur périple. Latinus, roi des Laurentes, offre à Énée la main de sa fille Lavinia, le désignant ainsi comme son successeur.
Or Lavinia a déjà été promise à Turnus, le roi d'une tribu voisine. Excité par Junon, Turnus déclare la guerre aux Troyens, mais trouve la mort sous le glaive d'Énée. C'est sur cet événement que s'achève l'*Énéide* de Virgile.]

1. ***Impérieux*** : autoritaire.

Romulus et Remus

À la suite de Virgile, les historiens racontent qu'Énée, succédant à Latinus, fonde la ville de Lavinium*, du nom de son épouse Lavinia. Il règne alors sur un petit royaume où se mêlent les Laurentes et les Troyens. En l'honneur du vieux roi, il nomme ce peuple nouveau les « Latins » et son pays le « Latium ».
Après sa mort, ses descendants fondent la ville d'Albe* où ils règnent paisiblement pendant plusieurs générations. Après le règne de Procas, treizième roi d'Albe, une querelle de succession entre ses fils provoque la naissance de deux célèbres jumeaux, puis la fondation d'une ville qui va changer la face du monde. C'est ce que raconte l'abbé Lhomond au début des *Grands Hommes de Rome*.

Procas, roi des Albains, eut deux fils, Numitor et Amulius. Il laissa le trône à Numitor, qui était l'aîné ; mais c'est Amulius qui régna, après avoir chassé son frère, et, pour le priver de descendance, il fit de sa fille Rhea Silvia une prêtresse de 5 Vesta[1] ; néanmoins, celle-ci mit au monde, en une seule fois, Romulus et Remus. Ayant appris la chose, Amulius emprisonna la vestale, et fit placer dans un berceau, puis jeter au Tibre[2] ses petits ; le Tibre, par hasard, avait alors débordé de ses rives ; mais, quand le fleuve se retira, l'eau laissa les enfants 10 sur la terre sèche. Il y avait, à l'époque, de vastes déserts[3] en ces lieux. Une louve, selon la tradition, accourut aux vagissements[4] des enfants, les lécha, tendit ses mamelles à leurs bouches, et se comporta avec eux comme une mère.

---

1. ***Vesta*** (Hestia en grec) : déesse du foyer. Les vestales, qui gardaient son temple, devaient conserver leur virginité.
2. ***Tibre*** : fleuve du Latium.
3. ***Déserts*** : endroits sauvages, sans habitations.
4. ***Vagissements*** : cris des nouveau-nés.

Comme la louve s'en revenait fort souvent auprès des bébés
15 comme auprès de ses propres petits, Faustulus, berger du roi, remarqua le manège, emporta les enfants à sa cabane, et les donna à élever à sa femme Acca Laurentia. Une fois devenus grands, ils développèrent d'abord leurs forces en jouant à des joutes[1] entre bergers, puis se mirent à courir les bois à la
20 chasse, et ensuite à empêcher les brigands de voler le bétail. Aussi, les brigands leur tendirent une embuscade, et firent prisonnier Remus ; Romulus, lui, se défendit énergiquement. Alors, poussé par la nécessité, Faustulus révéla à Romulus qui était son grand-père et qui était sa mère. Aussitôt, Romulus
25 arma les bergers et marcha sans tarder contre Albe.

Pendant ce temps, les brigands amenèrent Remus devant Amulius, en prétendant, pour l'accuser, qu'il avait l'habitude d'attaquer les troupeaux de Numitor. Remus fut donc livré au supplice par le roi à Numitor ; mais Numitor, après avoir bien
30 considéré le visage du jeune homme, n'était pas loin de reconnaître son petit-fils. Remus, en effet, ressemblait trait pour trait à sa mère, et son âge coïncidait avec l'époque où il avait été abandonné. Tandis que ces détails travaillaient l'esprit de Numitor, Romulus survint soudainement, libéra son frère, tua
35 Amulius et rétablit sur le trône son grand-père Numitor.

Lhomond, *Les Grands Hommes de Rome*.

La fondation de Rome

Puis Romulus et Remus fondèrent une ville en ce même endroit où ils avaient été abandonnés et élevés ; mais une dispute éclata entre eux pour savoir lequel des deux donnerait

---

1. ***Joutes*** : combats.

son nom à la ville et en serait le roi ; ils prirent les auspices[1].
5 Remus, le premier, vit six vautours ; Romulus n'en vit qu'en second, mais douze. C'est ainsi que Romulus, désigné comme vainqueur par l'augure[2], donna à la ville le nom de Rome, et, pour la protéger par des lois avant de le faire par des remparts, décréta l'interdiction, pour quiconque, de franchir son fossé.
10 Or Remus, en riant, franchit d'un bond ce fossé ; pris de colère, Romulus le tua, en l'accablant de ces mots : « Qu'ainsi désormais soit châtié[3] quiconque franchira mes murailles ! » C'est ainsi que Romulus se rendit seul maître du pouvoir.

Lhomond, *Les Grands Hommes de Rome.*

L'enlèvement des Sabines

Romulus avait fondé l'image d'une ville plutôt qu'une ville véritable : il lui manquait des habitants. Il y avait, à proximité, un bois sacré : il en fit un asile[4]. Là vint aussitôt se réfugier une multitude de brigands et de bergers. Mais comme
5 ni Romulus ni son peuple n'avaient d'épouses, le roi envoya des ambassadeurs[5] chez les peuples voisins, pour qu'ils leur demandent une alliance et des mariages réciproques. Nulle part l'on n'écouta l'ambassade[6] favorablement ; on ajoutait même, par moquerie : « Pourquoi n'avez-vous pas ouvert votre

---

1. ***Prirent les auspices*** : regardèrent le vol des oiseaux. On pouvait y lire, croyait-on à Rome, l'avenir et la volonté des dieux.
2. ***Augure*** : prêtre chargé de prendre les auspices.
3. ***Châtié*** : puni.
4. ***Asile*** : refuge pour les hommes poursuivis.
5. ***Ambassadeurs*** : messagers officiels.
6. ***L'ambassade*** : le message des ambassadeurs.

10 asile aux femmes aussi ? Cela vous ferait des mariages bien assortis ! » Romulus, dissimulant sa rancœur[1], fait préparer des jeux, et ordonne qu'on annonce ce spectacle aux voisins. Ils y vinrent en foule, poussés en outre par la curiosité de voir la ville nouvelle, et surtout les Sabins[2], avec femmes et
15 enfants. Lorsque vint l'heure du spectacle, et que l'attention comme les regards n'allaient qu'à lui, à un signal, les Romains enlevèrent les jeunes filles ; et ce fut aussitôt cause de guerre.

Les Sabins, à cause de l'enlèvement de leurs jeunes filles, déclarèrent la guerre aux Romains ; tandis qu'ils approchaient
20 de Rome, ils rencontrèrent Tarpéia, une jeune fille, qui était descendue dans la vallée pour aller puiser de l'eau destinée aux cérémonies religieuses. Son père était commandant de la citadelle de Rome. Titus Tatius, chef des Sabins, autorisa Tarpéia à choisir une récompense, si elle conduisait son armée
25 sur le Capitole[3]. Elle demanda ce que les Sabins portaient à la main gauche, sans doute leurs bagues et leurs bracelets. On feignit de les lui promettre, et Tarpéia conduisit les Sabins dans la citadelle ; là, Tatius ordonna qu'on l'écrase sous des boucliers ; car à la main gauche, les Sabins portaient aussi
30 un bouclier. Ainsi, cette trahison sacrilège fut promptement châtiée.

Romulus s'avança au-devant de Tatius, et engagea la bataille à l'endroit où se trouve aujourd'hui le forum romain[4]. Au premier assaut, un homme en vue parmi les Romains,
35 nommé Hostilius, tomba en combattant avec le plus grand

---

1. ***Rancœur*** : rancune, souvenir d'un outrage subi.
2. ***Sabins*** : peuplade voisine du Latium.
3. ***Capitole*** : principale colline de Rome, où Romulus avait édifié la citadelle.
4. ***Forum romain*** : plaine au pied du Capitole, où se situaient les principaux bâtiments politiques et religieux.

courage. Consternés par sa mort, les Romains se mirent à fuir. Déjà les Sabins s'exclamaient à l'envi : «Nous avons vaincu des hôtes perfides et des ennemis nuls à la guerre ! Ils savent maintenant qu'enlever des jeunes filles et se battre contre des
40 hommes, ça fait deux ! » Alors Romulus, en levant ses armes vers le ciel, promit un temple à Jupiter, et – fût-ce par hasard ou par une intervention divine ? – l'armée s'arrêta de fuir. Elle reprit donc le combat ; mais les femmes qui avaient été enlevées, tous cheveux défaits, osèrent se précipiter entre les
45 traits[1] qui volaient ; et, en suppliant d'un côté leurs époux, de l'autre leurs pères, elles rétablirent la paix.

Romulus conclut un traité avec Tatius, et admit les Sabins dans la ville. Il choisit, parmi les hommes d'âge, cent d'entre eux pour tout faire selon leur conseil, et, en raison de leur âge
50 sénile[2], on les appela «le Sénat[3]».

Lhomond, *Les Grands Hommes de Rome*.
Pour tous les extraits des *Grands Hommes de Rome* :
trad. Jacques Gaillard, © Actes Sud, coll. « Babel», 1995.

---

1. ***Traits*** : flèches.
2. ***Sénile*** : vieux.
3. Le ***Sénat*** est l'assemblée politique formée par les chefs des principales familles de Rome. Il dirigera Rome et son empire jusqu'au règne d'Auguste, où l'empereur s'emparera de tous les pouvoirs.

La Bible des juifs et des chrétiens

I. L'Ancien Testament

La Bible, un livre au pluriel

La Bible – du nom grec pluriel *biblia*, « les livres » – n'est pas un texte unique écrit par un même auteur, mais la collection d'un grand nombre d'œuvres différentes, mélange de légendes et d'histoire, de témoignages et de croyance, dont la composition s'étale sur plus de mille ans[1]. « Bible » a fini par désigner, au singulier, le livre par excellence, pour deux religions : la religion judaïque et la religion chrétienne. Mais juifs et chrétiens n'ont pas exactement la même Bible.

L'Ancien Testament des chrétiens, la Bible des juifs

La Bible que les juifs appellent en hébreu *Miqra* ou *Tanak* correspond à ce que les chrétiens appellent l'Ancien Testament. C'est un ensemble de textes écrits approximativement entre le VIIe et le Ier siècle av. J.-C par des juifs de Palestine, des prêtres vivant dans l'entourage du Temple ou de la cour de Jérusalem[2]. Certains rapportent des traditions qui remontent à une époque très reculée, peut-être le XIIe siècle av. J.-C.

---

1. Entre la fin du IIe millénaire av. J.-C. pour les plus vieux récits de l'Ancien Testament et le Ier siècle apr. J.-C. pour le Nouveau Testament.
2. Voir carte p. 114.

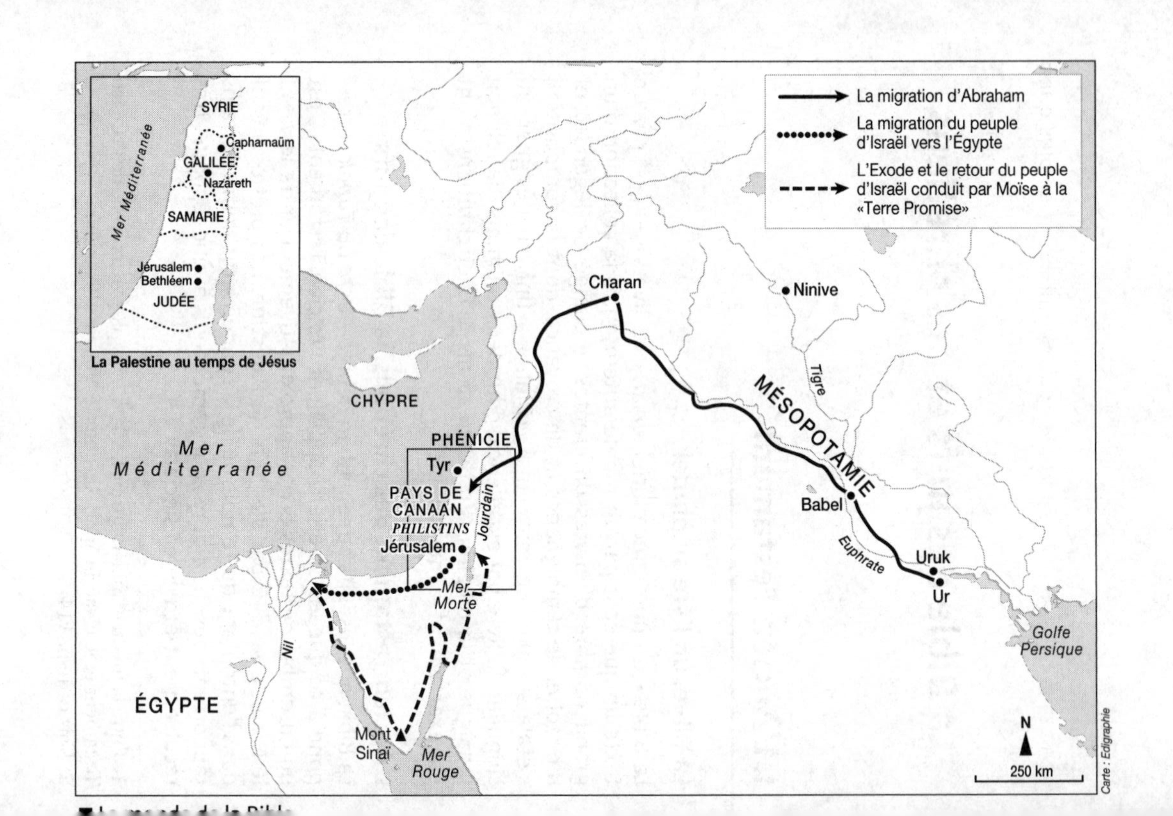
La migration d'Abraham
La migration du peuple d'Israël vers l'Égypte
L'Exode et le retour du peuple d'Israël conduit par Moïse à la «Terre Promise»
SYRIE
Capharnaüm
GALILÉE
Nazareth
SAMARIE
Jérusalem
Bethléem
JUDÉE
Mer Méditerranée
La Palestine au temps de Jésus
CHYPRE
Mer Méditerranée
PHÉNICIE
Tyr
PAYS DE CANAAN
PHILISTINS
Jérusalem
Jourdain
Mer Morte
Nil
ÉGYPTE
Mont Sinaï
Mer Rouge
Charan
Ninive
Tigre
MÉSOPOTAMIE
Babel
Euphrate
Uruk
Ur
Golfe Persique
N
250 km
Carte : Edigraphie

Écrits en hébreu, en araméen puis en grec, ces textes parlent d'à peu près tout : Dieu, les hommes, les bêtes et les fleurs, la nourriture, la morale, l'argent et la politique. Mais ce qui intéresse plus que tout les auteurs de ces textes, c'est l'histoire et le destin du peuple d'Israël – les juifs –, peuple errant avec lequel Yahvé, le Dieu unique créateur du ciel et de la terre, a conclu une alliance toute particulière : il lui a destiné la riche terre de Canaan* (aujourd'hui la Palestine) pour s'y installer et y fonder un puissant royaume.
Le premier chapitre de la Bible, la Genèse, raconte la création du monde et les débuts de l'humanité.

La création du monde

Au commencement, Dieu créa les cieux et la terre La terre était informe et vide : il y avait des ténèbres[1] à la surface de l'abîme[2], et l'esprit de Dieu se mouvait au-dessus des eaux.

Dieu dit : « Que la lumière soit ! » Et la lumière fut. Dieu vit
5 que la lumière était bonne; et Dieu sépara la lumière d'avec les ténèbres. Dieu appela la lumière « jour », et il appela les ténèbres « nuit ». Ainsi, il y eut un soir, et il y eut un matin : ce fut le premier jour.

Dieu dit : « Qu'il y ait une étendue entre les eaux, et qu'elle
10 sépare les eaux d'avec les eaux. » Et Dieu fit l'étendue, et il sépara les eaux qui sont au-dessous de l'étendue d'avec les eaux qui sont au-dessus de l'étendue. Et cela fut ainsi. Dieu appela l'étendue « ciel ». Ainsi, il y eut un soir, et il y eut un matin : ce fut le deuxième jour.

15 Dieu dit : « Que les eaux qui sont au-dessous du ciel se rassemblent en un seul lieu, et que le sec paraisse. » Et cela fut ainsi. Dieu appela le sec « terre », et il appela l'amas des eaux[3]

---

1. *Ténèbres* : ombre, obscurité.
2. *L'abîme* : ici, le vide.
3. *L'amas des eaux* : les eaux réunies.

«mer». Dieu vit que cela était bon. Puis Dieu dit : «Que la terre produise de la verdure, de l'herbe portant de la semence,
20 des arbres fruitiers donnant du fruit selon leur espèce et ayant en eux leur semence.» Et cela fut ainsi. Ainsi, il y eut un soir, et il y eut un matin : ce fut le troisième jour.

Dieu dit : «Qu'il y ait des luminaires[1] dans l'étendue du ciel, pour séparer le jour d'avec la nuit; que ce soient des
25 signes pour marquer les époques, les jours et les années; et qu'ils servent de luminaires dans l'étendue du ciel, pour éclairer la terre.» Et cela fut ainsi. Il fit aussi les étoiles. Dieu les plaça dans l'étendue du ciel, pour éclairer la terre. Ainsi, il y eut un soir, et il y eut un matin : ce fut le quatrième jour.

30 Dieu dit : «Que les eaux produisent en abondance des animaux vivants, et que des oiseaux volent sur la terre vers l'étendue du ciel.» Ainsi, il y eut un soir, et il y eut un matin : ce fut le cinquième jour.

Dieu dit : «Que la terre produise des animaux vivants
35 selon leur espèce, du bétail, des reptiles et des animaux terrestres, selon leur espèce.» Et cela fut ainsi. Dieu fit les animaux de la terre selon leur espèce, le bétail selon son espèce, et tous les reptiles de la terre selon leur espèce. Dieu vit que cela était bon. Puis Dieu dit : «Faisons l'homme à notre image,
40 selon notre ressemblance, et qu'il domine sur les poissons de la mer, sur les oiseaux du ciel, sur le bétail, sur toute la terre, et sur tous les reptiles qui rampent sur la terre.» Dieu créa l'homme à son image, il le créa à l'image de Dieu, il créa l'homme et la femme. Dieu les bénit[2], et Dieu leur dit : «Soyez
45 féconds[3], multipliez-vous, remplissez la terre, et assujettissez-

1. ***Luminaires*** : astres lumineux (le Soleil et la Lune).
2. ***Dieu les bénit*** : Dieu les combla de biens, de prospérité.
3. ***Féconds*** : capables de se reproduire.

la[1] ; et dominez sur les poissons de la mer, sur les oiseaux du ciel, et sur tout animal qui se meut sur la terre.» Dieu vit tout ce qu'il avait fait et cela était très bon. Ainsi, il y eut un soir, et il y eut un matin : ce fut le sixième jour.

Dieu acheva au septième jour son œuvre, qu'il avait faite : et il se reposa. Dieu bénit le septième jour, et il le sanctifia[2], parce que en ce jour il se reposa.

Voici les origines des cieux et de la terre, quand ils furent créés.

Genèse, **1-2**, 4[3].

L'homme et la femme dans le jardin d'Éden

L'Éternel Dieu forma l'homme de la poussière de la terre, il souffla dans ses narines un souffle de vie et l'homme devint un être vivant. Puis l'Éternel Dieu planta un jardin en Éden, du côté de l'Orient[4], et il y mit l'homme qu'il avait formé. Il fit pousser du sol des arbres de toute espèce, agréables à voir et bons à manger, et l'arbre de la vie au milieu du jardin, et l'arbre de la connaissance du bien et du mal. Un fleuve sortait d'Éden pour arroser le jardin, et de là il se divisait en quatre bras.

L'Éternel Dieu prit l'homme et le plaça dans le jardin d'Éden pour le cultiver et pour le garder. Il donna cet ordre à l'homme :

«Tu pourras manger de tous les arbres du jardin ; mais tu ne mangeras pas de l'arbre de la connaissance du bien et du mal, car le jour où tu en mangeras, tu mourras.»

---

1. ***Assujettissez-la*** : dominez-la.
2. ***Il le sanctifia*** : il en fit un jour saint, c'est-à-dire férié.
3. L'Ancien et le Nouveau Testament sont divisés en chapitres (ici chiffres en gras), eux-mêmes scindés en versets (ici chiffres en maigre).
4. ***Du côté de l'Orient*** : à l'Est. La localisation du jardin d'Éden est indéterminée. Il se situe peut-être en Mésopotamie, dans l'actuel Irak.

15 L'Éternel Dieu dit :

«Il n'est pas bon que l'homme soit seul; je lui ferai une aide semblable à lui.»

Alors l'Éternel Dieu fit tomber un profond sommeil sur l'homme, qui s'endormit; il prit une de ses côtes, et referma 20 la chair à sa place. L'Éternel Dieu forma une femme de la côte qu'il avait prise de l'homme, et il l'amena vers l'homme. L'homme et sa femme étaient tous deux nus, et ils n'en avaient point honte[1].

Genèse, **2**, 7-25.

Adam et Ève : la faute originelle

Le serpent était le plus rusé de tous les animaux des champs, que l'Éternel Dieu avait faits. Il dit à la femme :

«Dieu a-t-il réellement dit : "Vous ne mangerez pas de tous les arbres du jardin"?»

5 La femme répondit au serpent :

«Nous mangeons du fruit des arbres du jardin. Mais quant au fruit de l'arbre qui est au milieu du jardin, Dieu a dit : "Vous n'en mangerez point et vous n'y toucherez point, de peur que vous ne mouriez."»

10 Alors le serpent dit à la femme :

«Vous ne mourrez point; mais Dieu sait que, le jour où vous en mangerez, vos yeux s'ouvriront, et que vous serez comme des dieux, connaissant le bien et le mal.»

La femme vit que l'arbre était bon à manger et agréable à 15 la vue, et qu'il était précieux pour ouvrir l'intelligence[2]; elle prit de son fruit, et en mangea; elle en donna aussi à son mari,

---

1. La Genèse présente ici une deuxième version de la création de la femme. On voit bien que la Bible est l'assemblage de textes d'origines différentes et parfois contradictoires.

2. ***Ouvrir l'intelligence*** : rendre intelligent.

qui était auprès d'elle, et il en mangea. Les yeux de l'un et de l'autre s'ouvrirent, ils connurent[1] qu'ils étaient nus, et, ayant cousu des feuilles de figuier, ils s'en firent des ceintures.

Alors ils entendirent la voix de l'Éternel Dieu, qui parcourait le jardin vers le soir, et l'homme et sa femme se cachèrent loin de la face de l'Éternel Dieu, au milieu des arbres du jardin. Mais l'Éternel Dieu appela l'homme, et lui dit :

«Où es-tu ?»

Il répondit :

«J'ai entendu ta voix dans le jardin, et j'ai eu peur, parce que je suis nu, et je me suis caché.»

Et l'Éternel Dieu dit :

«Qui t'a appris que tu es nu ? Est-ce que tu as mangé de l'arbre dont je t'avais défendu de manger ?»

L'homme répondit :

«La femme que tu as mise auprès de moi m'a donné de l'arbre, et j'en ai mangé.»

Et l'Éternel Dieu dit à la femme :

«Pourquoi as-tu fait cela ?»

La femme répondit :

«Le serpent m'a séduite, et j'en ai mangé.»

L'Éternel Dieu dit au serpent :

«Puisque tu as fait cela, tu seras maudit entre tout le bétail et entre tous les animaux des champs, tu marcheras sur ton ventre, et tu mangeras de la poussière tous les jours de ta vie.»

Il dit à la femme :

«J'augmenterai la souffrance de tes grossesses, tu enfanteras avec douleur[2], et tes désirs se porteront vers ton mari, mais il dominera sur toi.»

---

1. ***Ils connurent*** : ils s'aperçurent.

2. Référence aux douleurs de l'accouchement.

Il dit à l'homme :

«Puisque tu as écouté la voix de ta femme, et que tu as mangé de l'arbre au sujet duquel je t'avais donné cet ordre : "Tu n'en mangeras point !", le sol sera maudit à cause de toi.

50 «C'est à force de peine que tu en tireras ta nourriture tous les jours de ta vie, c'est à la sueur de ton visage[1] que tu mangeras du pain, jusqu'à ce que tu retournes dans la terre, d'où tu as été pris ; car tu es poussière, et tu retourneras dans la poussière.»

55 Adam donna à sa femme le nom d'Ève : car elle a été la mère de tous les vivants[2]. L'Éternel Dieu fit à Adam et à sa femme des habits de peau, et il les en revêtit.

L'Éternel Dieu dit :

«Voici, l'homme est devenu comme l'un de nous, pour la
60 connaissance du bien et du mal. Empêchons-le maintenant d'avancer sa main, de prendre de l'arbre de vie, d'en manger, et de vivre éternellement.»

Et l'Éternel Dieu le chassa du jardin d'Éden, pour qu'il cultivât la terre, d'où il avait été pris.

Genèse, **3**, 1-23.

Caïn et Abel : le premier crime

Adam connut[3] Ève, sa femme ; elle conçut et enfanta Caïn, et elle dit :

«J'ai formé un homme avec l'aide de l'Éternel.»

---

1. ***À la sueur de ton visage*** : en travaillant. Chassé du jardin d'Éden, où la nourriture était fournie en abondance, l'homme devra cultiver la terre pour se nourrir.
2. En hébreu, le nom d'Ève (*haw-wa*) se rattache à la vie (*hayya*).
3. ***Connut*** : s'unit à.

Elle enfanta encore son frère Abel. Abel fut berger, et Caïn fut laboureur.

Au bout de quelque temps, Caïn fit à l'Éternel une offrande[1] des fruits de la terre ; et Abel, de son côté, en fit une des premiers-nés de son troupeau et de leur graisse. L'Éternel porta un regard favorable sur Abel et sur son offrande ; mais il ne porta pas un regard favorable sur Caïn et sur son offrande. Caïn fut très irrité, et son visage fut abattu. Comme ils étaient dans les champs, Caïn se jeta sur son frère Abel, et le tua.

L'Éternel dit à Caïn :

« Où est ton frère Abel ? »

Il répondit :

« Je ne sais pas ; suis-je le gardien de mon frère ? »

Et Dieu dit :

« Qu'as-tu fait ? La voix du sang de ton frère crie de la terre jusqu'à moi. Maintenant, tu seras maudit de la terre qui a ouvert sa bouche pour recevoir de ta main le sang de ton frère. Quand tu cultiveras le sol, il ne te donnera plus sa richesse. Tu seras errant et vagabond sur la terre. »

Caïn dit à l'Éternel :

« Mon châtiment est trop grand pour être supporté. Voici, tu me chasses aujourd'hui de cette terre ; je serai caché loin de ta face, je serai errant et vagabond sur la terre, et quiconque me trouvera me tuera. »

L'Éternel lui dit :

« Si quelqu'un tuait Caïn, Caïn serait vengé sept fois. »

Et l'Éternel mit un signe[2] sur Caïn pour que quiconque le trouverait ne le tuât point.

---

1. ***Une offrande*** : un cadeau, ici un sacrifice.

2. ***Signe*** : signe de protection, qui n'est pas précisé par ailleurs.

Puis, Caïn s'éloigna de la face de l'Éternel, et habita dans la terre de Nod[1], à l'orient d'Éden.

Genèse, **4**, 1-16.

[Caïn construit la première ville : il est ainsi le fondateur de la civilisation. Pour remplacer Abel, Adam a un autre fils, Seth, dont est issue toute une descendance d'hommes que l'on appelle les patriarches antédiluviens, c'est-à-dire d'avant le Déluge. Tous jouissent d'une vie très longue : Mathusalem, par exemple, aurait vécu neuf cent soixante-neuf ans ! Le dernier de ces patriarches, Noé, vit dans un temps où les hommes, déjà nombreux sur la Terre, ne respectent plus l'Éternel. Ce dernier conçoit alors à l'égard de l'humanité un terrible projet.]

Le Déluge et l'arche de Noé

L'Éternel vit que la méchanceté des hommes était grande sur la terre, et que toutes les pensées de leur cœur se portaient chaque jour uniquement vers le mal. L'Éternel se repentit[2] d'avoir fait l'homme sur la terre, et il fut affligé[3] en son cœur.
5 Et il dit :

« J'exterminerai de la face de la terre l'homme que j'ai créé, depuis l'homme jusqu'au bétail, aux reptiles, et aux oiseaux du ciel ; car je me repens de les avoir faits. »

Mais Noé trouva grâce[4] aux yeux de l'Éternel. Noé était un
10 homme juste et intègre[5] dans son temps ; Noé marchait avec Dieu. Alors Dieu dit à Noé :

---

1. ***Nod*** : pays inconnu.
2. ***Se repentit*** : regretta.
3. ***Affligé*** : attristé.
4. ***Trouva grâce*** : ne fut pas condamné.
5. ***Intègre*** : honnête.

« Pour moi, la fin de toute chair est arrivée ! Car les hommes ont rempli la terre de violence ; voici, je vais les détruire avec la terre. Fais-toi une arche de bois. Moi, je vais faire venir le déluge d'eaux sur la terre, pour détruire toute chair ayant souffle de vie sous le ciel ; tout ce qui est sur la terre périra. Mais j'établis mon alliance avec toi ; tu entreras dans l'arche, toi et tes fils, ta femme et les femmes de tes fils avec toi. De tout ce qui vit, de toute chair, tu feras entrer dans l'arche deux de chaque espèce, pour les conserver en vie avec toi : il y aura un mâle et une femelle. Et toi, prends de tous les aliments que l'on mange, et fais-en une provision auprès de toi, afin qu'ils te servent de nourriture ainsi qu'à eux. »

C'est ce que fit Noé : il exécuta tout ce que Dieu lui avait ordonné.

Sept jours après, les eaux du déluge furent sur la terre. L'an six cent de la vie de Noé, le second mois, le dix-septième jour du mois, en ce jour-là toutes les sources du grand abîme jaillirent, et les écluses des cieux s'ouvrirent. La pluie tomba sur la terre quarante jours et quarante nuits.

Ce même jour entrèrent dans l'arche Noé, Sem, Cham et Japhet, fils de Noé, la femme de Noé et les trois femmes de ses fils ; avec eux entrèrent tous les animaux selon leur espèce, tout le bétail selon son espèce, tous les reptiles qui rampent sur la terre selon leur espèce, tous les oiseaux selon leur espèce, tous les petits oiseaux, tout ce qui a des ailes. Ils entrèrent dans l'arche auprès de Noé, deux à deux, de toute chair ayant souffle de vie.

Les eaux crûrent[1] et soulevèrent l'arche, et elle s'éleva au-dessus de la terre. Les eaux grossirent de plus en plus, et toutes les hautes montagnes qui sont sous le ciel en furent

---

1. ***Crûrent*** : montèrent.

recouvertes. Les eaux s'élevèrent de quinze coudées[1] au-dessus des montagnes, qui furent recouvertes. Tout ce qui se mouvait sur la terre périt, tant les oiseaux que le bétail et les animaux, 45 tout ce qui rampait sur la terre, et tous les hommes. Tous les êtres qui étaient sur la face de la terre furent exterminés, depuis l'homme jusqu'au bétail, aux reptiles et aux oiseaux du ciel : ils furent exterminés de la terre. Il ne resta que Noé, et ce qui était avec lui dans l'arche.

Genèse, **6**, 5 à **7**, 23.

L'Alliance

Au bout de quarante jours, Noé ouvrit la fenêtre qu'il avait faite à l'arche. Il lâcha le corbeau, qui sortit, partant et revenant, jusqu'à ce que les eaux eussent séché sur la terre. Il lâcha aussi la colombe, pour voir si les eaux avaient diminué 5 à la surface de la terre. Mais la colombe ne trouva aucun lieu pour se poser, et elle revint à lui dans l'arche, car il y avait des eaux à la surface de toute la terre. Il avança la main, la prit, et la fit rentrer auprès de lui dans l'arche. Il attendit encore sept autres jours, et il lâcha de nouveau la colombe hors de 10 l'arche. La colombe revint à lui sur le soir ; une feuille d'olivier arrachée était dans son bec. Noé sut ainsi que les eaux avaient diminué sur la terre. Il attendit encore sept autres jours ; et il lâcha la colombe. Mais elle ne revint plus à lui.

Alors Dieu parla à Noé, en disant :

15 «Sors de l'arche, toi et ta femme, tes fils et les femmes de tes fils avec toi. Fais sortir avec toi tous les animaux de toute chair qui sont avec toi, tant les oiseaux que le bétail et tous

---

1. Une ***coudée*** équivaut à environ 50 centimètres.

les reptiles qui rampent sur la terre : qu'ils se répandent sur la terre, qu'ils soient féconds et se multiplient sur la terre.»

Et Noé sortit, avec ses fils, sa femme, et les femmes de ses fils. Tous les animaux, tous les reptiles, tous les oiseaux, tout ce qui se meut sur la terre, selon leurs espèces, sortirent de l'arche. Noé bâtit un autel[1] à l'Éternel; il prit de toutes les bêtes pures et de tous les oiseaux purs[2], et il offrit des holocaustes[3] sur l'autel.

L'Éternel sentit une odeur agréable, et l'Éternel dit en son cœur : «Je ne maudirai plus la terre, à cause de l'homme, parce que les pensées du cœur de l'homme sont mauvaises dès sa jeunesse; et je ne frapperai plus tout ce qui est vivant, comme je l'ai fait. Tant que la terre subsistera, les semailles et la moisson, le froid et la chaleur, l'été et l'hiver, le jour et la nuit ne cesseront point.»

Dieu bénit Noé et ses fils, et leur dit :

«Soyez féconds, multipliez-vous, et remplissez la terre. Vous serez un sujet de crainte et d'effroi pour tout animal de la terre, pour tout oiseau du ciel, pour tout ce qui se meut sur la terre, et pour tous les poissons de la mer : ils sont livrés entre vos mains. Tout ce qui se meut et qui a vie vous servira de nourriture : je vous donne tout cela comme l'herbe verte. Seulement, vous ne mangerez point de chair avec son âme, avec son sang[4]. Voici, j'établis mon alliance avec vous et avec votre postérité après vous; et il n'y aura plus de déluge pour détruire la terre. C'est ici le signe de l'alliance que j'établis entre moi et vous, et

---

1. ***Autel*** : table de pierre sur laquelle on offrait des sacrifices.

2. ***Bêtes pures, oiseaux purs*** : pour les sacrifices, il fallait utiliser des animaux sans défauts.

3. ***Holocaustes*** : sacrifices où l'on brûle la totalité de la victime.

4. ***Avec son âme, avec son sang*** : dans la tradition biblique, le sang est considéré comme le siège de la vie et de l'âme.

tous les êtres vivants qui sont avec vous, pour les générations
45 à toujours : j'ai placé mon arc dans la nue[1], et il servira de signe d'alliance entre moi et la terre. Quand j'aurai rassemblé des nuages au-dessus de la terre, l'arc paraîtra dans la nue[2] ; je me souviendrai de mon alliance entre moi et vous, et tous les êtres vivants, de toute chair, et les eaux ne deviendront plus
50 un déluge pour détruire toute chair.

Noé vécut, après le déluge, trois cent cinquante ans. Tous les jours de Noé furent de neuf cent cinquante ans ; puis il mourut. Ce sont des fils de Noé que sont sorties les nations qui se sont répandues sur la terre après le déluge.

Genèse, **8**, 6 à **10**, 1.

Aux origines des langues : la tour de Babel*

Par leur descendance, les trois fils de Noé – Sem, Cham et Japhet – repeuplent la Terre. Mais cette nouvelle humanité nourrit des ambitions trop orgueilleuses aux yeux de Dieu.

Toute la terre avait une seule langue et les mêmes mots. Les hommes dirent :

«Allons ! bâtissons-nous une ville et une tour dont le sommet touche au ciel, et faisons-nous un nom, afin que nous ne
5 soyons pas dispersés sur la face de toute la terre.»

L'Éternel descendit pour voir la ville et la tour que bâtissaient les fils des hommes. Et l'Éternel dit :

«Voici, ils forment un seul peuple et ont tous une même langue, et c'est là ce qu'ils ont entrepris ; maintenant, rien

---

1. ***Nue*** : étendue de nuages.
2. Il s'agit de l'arc-en-ciel.

ne les empêcherait de faire tout ce qu'ils auraient projeté. Allons! descendons, et là confondons[1] leur langage, afin qu'ils n'entendent plus[2] la langue les uns des autres.»

Et l'Éternel les dispersa loin de là sur la face de toute la terre; et ils cessèrent de bâtir la ville. C'est pourquoi on l'appela du nom de Babel[3], car c'est là que l'Éternel confondit le langage de toute la terre, et c'est de là que l'Éternel dispersa [les hommes] sur la face de toute la terre.

Genèse, **11**, 1-9.

Abram, futur Abraham

Abram, fils de Térah, descendant de Sem, vit à Charan*, non loin de Babel, en Mésopotamie. Dieu le choisit pour devenir l'ancêtre d'une grande nation.

L'Éternel dit à Abram :

«Va-t'en de ton pays, de ta patrie et de la maison de ton père, dans le pays que je te montrerai. Je ferai de toi une grande nation, et je te bénirai; je rendrai ton nom grand, et tu seras une source de bénédiction. Je bénirai ceux qui te béniront, et je maudirai ceux qui te maudiront; et toutes les familles de la terre seront bénies en toi.»

Abram partit, comme l'Éternel le lui avait dit, et Lot, son neveu, partit avec lui. Abram était âgé de soixante-quinze ans lorsqu'il sortit de Charan.

---

1. ***Confondons*** : mélangeons.
2. ***N'entendent plus*** : ne comprennent plus.
3. ***Babel*** ressemble en effet à *bâlal* (qui signifie «confondre», «brouiller» en hébreu). Mais, en réalité, ce nom vient de *Bab-ilani*, «Porte-des-dieux». Il s'agit de l'ancienne Babylone.

Abram prit Sarah, sa femme, et Lot, fils de son frère, avec tous les biens qu'ils possédaient et les serviteurs qu'ils avaient acquis à Charan. Ils partirent pour aller dans le pays de Canaan, et ils arrivèrent au pays de Canaan. Abram parcou-
15 rut le pays jusqu'au lieu nommé Sichem, jusqu'aux chênes de Moré. L'Éternel apparut à Abram, et dit :

« Je donnerai ce pays à ta postérité. »

Genèse, **12**, 1-7.

Le sacrifice d'Isaac

Abram part pour le pays de Canaan avec Sarah, son épouse, Lot son neveu, ses serviteurs et ses biens. Il y mène une vie nomade. Yahvé lui apparaît en vision et renouvelle ses promesses : il change son nom Abram en Abraham et lui promet une descendance aussi nombreuse que les étoiles, qui possédera le pays de Canaan, et dont tous les enfants mâles seront circoncis à l'âge de huit jours. Cette circoncision est le signe de l'alliance entre Dieu et le peuple *sémitique,* c'est-à-dire descendant d'Abraham et de son ancêtre Sem.
Dieu permet enfin à Sarah, la femme d'Abraham, stérile et âgée de quatre-vingt-dix ans, d'avoir le fils que le couple n'espérait plus : c'est Isaac. Mais, au moment même où il comble Abraham de bonheur, Dieu le soumet à une terrible épreuve.

Dieu mit Abraham à l'épreuve, et lui dit :

« Prends ton fils, ton fils, ton unique, celui que tu aimes, Isaac ; va-t'en au pays de Morija[1], et là offre-le en holocauste sur l'une des montagnes que je te dirai. »

5 Abraham se leva de bon matin, sella son âne, et prit avec lui deux serviteurs et son fils Isaac. Il fendit du bois pour

---

1. ***Morija*** : lieu difficile à identifier. Peut-être la colline de Sion.

l'holocauste, et partit pour aller au lieu que Dieu lui avait dit. Alors Isaac, parlant à Abraham, son père, dit :

«Mon père ! Voici le feu et le bois ; mais où est l'agneau pour l'holocauste ? »

Abraham répondit :

«Mon fils, Dieu se pourvoira lui-même de l'agneau[1] pour l'holocauste.»

Et ils marchèrent tous deux ensemble. Lorsqu'ils furent arrivés au lieu que Dieu lui avait dit, Abraham y éleva un autel, et rangea le bois. Il lia son fils Isaac et le mit sur l'autel, par-dessus le bois. Puis Abraham étendit la main et prit le couteau, pour égorger son fils. Alors l'ange de l'Éternel l'appela des cieux et dit :

«Abraham ! Abraham ! N'avance pas ta main sur l'enfant, et ne lui fais rien ; car je sais maintenant que tu crains Dieu, et que tu ne m'as pas refusé ton fils, ton unique.»

Abraham leva les yeux et vit derrière lui un bélier retenu dans un buisson par les cornes ; et Abraham alla prendre le bélier et l'offrit en holocauste à la place de son fils.

Genèse, **22**, 1-13.

Le peuple d'Israël en Égypte : la naissance de Moïse

Ainsi, Isaac vivra. Il épousera Rébecca, et son fils Jacob, appelé encore Israël par Yahvé, donnera son nom à toute sa descendance. Les douze enfants de Jacob donneront eux leurs noms aux douze tribus de ce peuple d'Israël. Mais, pour l'heure, cette grande famille, qui compte soixante-dix individus, ne peut pas vivre

---

1. ***Se pourvoira lui-même de l'agneau*** : se procurera lui-même l'agneau.

au pays de Canaan : une famine les pousse à s'exiler en Égypte, où leurs descendants resteront plus de quatre siècles et peu à peu formeront un véritable peuple. D'abord bien acceptés par Pharaon, les enfants d'Israël finissent par susciter sa jalousie et son inquiétude : c'est ce que raconte l'Exode, deuxième livre de la Bible.

Les enfants d'Israël furent féconds et se multiplièrent, ils s'accrurent et devinrent de plus en plus puissants. Et le pays en fut rempli.

Il s'éleva sur l'Égypte un nouveau roi, qui n'avait point 5 connu Joseph[1]. Il dit à son peuple :

«Voilà les enfants d'Israël qui forment un peuple plus nombreux et plus puissant que nous. Allons ! montrons-nous habiles à son égard ; empêchons qu'il ne s'accroisse et que, s'il survient une guerre, il ne se joigne à nos ennemis pour 10 nous combattre et sortir ensuite du pays.»

Alors les Égyptiens réduisirent les enfants d'Israël à une dure servitude[2]. Ils leur rendirent la vie amère par de rudes travaux en argile et en brique, et par tous les ouvrages des champs : et c'était avec cruauté qu'ils leur imposaient 15 toutes ces charges. Alors Pharaon donna cet ordre à tout son peuple :

«Vous jetterez dans le fleuve tout garçon qui naîtra, et vous laisserez vivre toutes les filles.»

Un homme de la maison de Lévi[3] avait pris pour femme 20 une fille de Lévi. Cette femme devint enceinte et enfanta un fils. Elle vit qu'il était beau, et elle le cacha pendant trois mois.

1. ***Joseph*** : fils de Jacob, le premier à s'installer en Égypte.
2. ***Servitude*** : esclavage.
3. ***De la maison de Lévi*** : appartenant à la tribu descendant de Lévi, fils de Jacob.

Ne pouvant plus le cacher, elle prit une caisse de jonc[1], qu'elle enduisit de bitume et de poix[2] ; elle y mit l'enfant, et le déposa parmi les roseaux, sur le bord du fleuve. La sœur de l'enfant se tint à quelque distance, pour savoir ce qui lui arriverait.

La fille de Pharaon descendit au fleuve pour se baigner, et ses compagnes se promenèrent le long du fleuve. Elle aperçut la caisse au milieu des roseaux, et elle envoya sa servante pour la prendre. Elle l'ouvrit, et vit l'enfant : c'était un petit garçon qui pleurait. Elle en eut pitié, et elle dit :

« C'est un enfant des Hébreux ! »

Alors la sœur de l'enfant dit à la fille de Pharaon :

«Veux-tu que j'aille te chercher une nourrice parmi les femmes des Hébreux, pour allaiter cet enfant ?

– Va», lui répondit la fille de Pharaon.

Et la jeune fille alla chercher la mère de l'enfant.

La fille de Pharaon lui dit :

« Emporte cet enfant, et allaite-le-moi ; je te donnerai ton salaire. »

La femme prit l'enfant, et l'allaita. Quand il eut grandi, elle l'amena à la fille de Pharaon, et il fut pour elle comme un fils. Elle lui donna le nom de Moïse, car, dit-elle :

« Je l'ai retiré des eaux[3]. »

Exode, **1**, 7 à **2**, 10.

---

1. ***Jonc*** : plante aquatique qui ressemble au roseau.

2. ***Bitume***, ***poix*** : matières collantes permettant d'assurer l'étanchéité.

3. *Moshé* (*Moïse* en hébreu) ressemble en effet au verbe *mâshâ* (« retirer de »). Mais, en réalité, le nom de Moïse est probablement d'origine égyptienne.

L'Exode et le passage de la mer Rouge*

Dieu, qui a entendu la plainte du peuple d'Israël, apparaît à Moïse comme il s'était adressé à Abraham, et lui confie la mission de délivrer le peuple d'Israël de l'esclavage et de le conduire en Canaan, la terre promise. Pour forcer Pharaon à laisser partir les Hébreux, Dieu envoie une série de calamités sur l'Égypte. Lorsque Dieu, en une nuit, fait mourir tous les premiers-nés d'Égypte, Pharaon laisse partir les Hébreux. Mais il revient aussitôt sur sa décision.

On annonça au roi d'Égypte que le peuple avait pris la fuite. Alors le cœur de Pharaon et celui de ses serviteurs furent changés à l'égard du peuple. Ils dirent :

« Qu'avons-nous fait, en laissant aller Israël, dont nous
5 n'aurons plus les services[1] ? »

Et Pharaon attela son char, et il prit son peuple avec lui. Il prit six cents chars d'élite, et tous les chars de l'Égypte ; il y avait sur tous des combattants. L'Éternel endurcit le cœur de Pharaon, roi d'Égypte, et Pharaon poursuivit les enfants
10 d'Israël. Et tous les chevaux, les chars de Pharaon, ses cavaliers et son armée les atteignirent campés près de la mer[2].

Les enfants d'Israël levèrent les yeux, et voici, les Égyptiens étaient en marche derrière eux. Et les enfants d'Israël eurent une grande frayeur et crièrent à l'Éternel[3].

15 Ils dirent à Moïse :

---

1. ***En laissant aller Israël, dont nous n'aurons plus les services*** : en laissant partir le peuple d'Israël, que nous ne pourrons plus utiliser comme esclaves.

2. La localisation de cette mer, à l'est de l'Égypte, est incertaine : s'agit-il de la mer Rouge ou, plus au nord, d'un golfe de la Méditerranée ?

3. ***Crièrent à l'Éternel*** : poussèrent des cris de plainte vers Dieu.

«N'y avait-il pas des sépulcres[1] en Égypte, sans qu'il fût besoin de nous mener mourir au désert ? Que nous as-tu fait en nous faisant sortir d'Égypte ? »

Moïse répondit au peuple :

« Ne craignez rien, restez en place, et regardez la délivrance que l'Éternel va vous accorder en ce jour ; car les Égyptiens que vous voyez aujourd'hui, vous ne les verrez plus jamais. L'Éternel combattra pour vous ; et vous, gardez le silence. »

L'Éternel dit à Moïse :

« Pourquoi ces cris ? Parle aux enfants d'Israël, et qu'ils marchent. Toi, lève ta verge[2], étends ta main sur la mer, et fends-la ; et les enfants d'Israël entreront au milieu de la mer à sec. »

Moïse étendit sa main sur la mer. Et l'Éternel refoula la mer par un vent d'Orient, qui souffla avec impétuosité[3] toute la nuit ; il mit la mer à sec, et les eaux se fendirent. Les enfants d'Israël entrèrent au milieu de la mer à sec, et les eaux formaient comme une muraille à leur droite et à leur gauche. Les Égyptiens les poursuivirent ; et tous les chevaux de Pharaon, ses chars et ses cavaliers entrèrent après eux au milieu de la mer.

Moïse étendit sa main sur la mer. Et vers le matin, la mer reprit son impétuosité, et les Égyptiens s'enfuirent à son approche ; mais l'Éternel précipita les Égyptiens au milieu de la mer. Les eaux revinrent et couvrirent les chars, les cavaliers et toute l'armée de Pharaon, qui étaient entrés dans la mer après les enfants d'Israël ; et il n'en échappa pas un seul.

---

1. ***Sépulcres*** : tombeaux.
2. ***Verge*** : bâton.
3. ***Impétuosité*** : grande force.

En ce jour, l'Éternel délivra Israël de la main des Égyptiens.
45 Et le peuple craignit l'Éternel, et il crut en l'Éternel et en Moïse, son serviteur.

Exode, **14**, 5-31.

Les dix commandements

Le troisième mois après leur sortie du pays d'Égypte, les enfants d'Israël arrivèrent au désert de Sinaï*. Israël campa là, vis-à-vis de la montagne. Moïse monta vers Dieu, et l'Éternel l'appela du haut de la montagne, en disant :

5 «Tu parleras ainsi à la maison de Jacob[1], et tu diras aux enfants d'Israël : "Vous avez vu ce que j'ai fait à l'Égypte, et comment je vous ai portés sur des ailes d'aigle[2] et amenés vers moi. Maintenant, si vous écoutez ma voix, et si vous gardez mon alliance, vous m'appartiendrez entre tous les peuples,
10 car toute la terre est à moi; vous serez pour moi un royaume de sacrificateurs et une nation sainte." Voilà les paroles que tu diras aux enfants d'Israël.»

Moïse vint appeler les anciens du peuple, et il mit devant eux toutes ces paroles, comme l'Éternel le lui avait ordonné.
15 Le peuple tout entier répondit :

«Nous ferons tout ce que l'Éternel a dit.»

Moïse rapporta les paroles du peuple à l'Éternel. Et l'Éternel dit à Moïse :

«Voici, je viendrai vers toi dans une épaisse nuée[3], afin que
20 le peuple entende quand je te parlerai, et qu'il ait toujours

---

1. ***La maison de Jacob*** : le peuple d'Israël.
2. ***Je vous ai porté sur des ailes d'aigle*** : image qui indique la façon miraculeuse dont Dieu a conduit Israël hors d'Égypte.
3. ***Nuée*** : nuage. C'est le signe de la venue de Dieu.

confiance en toi. Va vers le peuple; sanctifie-les[1] aujourd'hui et demain, qu'ils lavent leurs vêtements. Qu'ils soient prêts pour le troisième jour; car le troisième jour l'Éternel descendra, aux yeux de tout le peuple, sur la montagne de Sinaï.»

Le troisième jour au matin, il y eut des tonnerres, des éclairs, et une épaisse nuée sur la montagne; le son de la trompette retentit fortement; et tout le peuple qui était dans le camp fut saisi d'épouvante. Ainsi, l'Éternel descendit sur la montagne de Sinaï, il appela Moïse sur le sommet et lui dit :

«Je suis l'Éternel, ton Dieu, qui t'ai fait sortir du pays d'Égypte, de la maison de servitude.

«Tu n'auras pas d'autres dieux face à moi.

«Tu ne te feras point d'idole[2], ni de représentation quelconque des choses qui sont en haut dans les cieux, qui sont en bas sur la terre, et qui sont dans les eaux plus bas que la terre. Tu ne te prosterneras point devant elles, et tu ne les serviras point.

«Tu ne prendras point le nom de l'Éternel, ton Dieu, en vain[3]; car l'Éternel ne laissera point impuni celui qui prendra son nom en vain.

«Tu travailleras six jours, et tu feras tout ton ouvrage. Mais le septième jour est le jour du repos de l'Éternel, ton Dieu : tu ne feras aucun ouvrage, ni toi, ni ton fils, ni ta fille, ni ton serviteur, ni ta servante, ni ton bétail, ni l'étranger qui est dans tes portes[4].

---

1. ***Sanctifie-les*** : prépare-les à participer à une cérémonie religieuse, un événement religieux (la venue, l'apparition de Dieu).
2. ***Idole*** : image de divinité (peinture, statue...).
3. ***Tu ne prendras point le nom de l'Éternel*** [...] ***en vain*** : tu ne te serviras pas du nom de Dieu dans des pratiques interdites, comme les faux serments, les malédictions ou la magie.
4. Ce septième jour, férié, est le jour du sabbat, où Dieu lui-même se reposa après la Création (voir p. 117). La semaine commençant le dimanche pour les juifs, le jour du sabbat correspond au samedi.

45 «Honore ton père et ta mère, afin que tes jours se prolongent dans le pays que l'Éternel, ton Dieu, te donne.

«Tu ne tueras point.

«Tu ne commettras point d'adultère[1].

«Tu ne déroberas point.

50 «Tu ne porteras point de faux témoignage contre ton prochain[2].

«Tu ne convoiteras point[3] la maison de ton prochain ; tu ne convoiteras point la femme de ton prochain, ni son serviteur, ni sa servante, ni son bœuf, ni son âne, ni aucune chose

55 qui appartienne à ton prochain.»

Moïse vint rapporter au peuple toutes les paroles de l'Éternel et toutes les lois. Le peuple entier répondit d'une même voix :

«Nous ferons tout ce que l'Éternel a dit.»

Exode, **19**, 1 à **24**, 3.

[Les dix commandements sont inscrits sur les Tables de la Loi déposées dans l'arche d'Alliance, un coffre recouvert d'or symbolisant la présence de Dieu au milieu du peuple d'Israël. Moïse meurt dans le désert avant d'avoir pu conduire son peuple dans le pays de Canaan : ce sera le privilège de Josué, qui succède à Moïse à la tête des tribus d'Israël.]

David et Goliath

L'installation d'Israël dans la Terre promise est encore délicate car il faut lutter contre les peuples déjà établis dans le pays, comme les redoutables Philistins.

---

1. ***Adultère*** : infidélité, acte de tromper son époux ou son épouse.
2. ***Ton prochain*** : ton voisin, ton semblable, ton confrère.
3. ***Tu ne convoiteras point*** : tu ne chercheras pas à prendre.

Pour mieux les affronter, les douze tribus se donnent un premier roi, Saül. Mais, mécontent de Saül, Dieu le frappe de folie et choisit d'élever à sa place un jeune berger venu de Bethléem*, David. Celui-ci est d'abord appelé à la cour de Saül pour ses talents de musicien, mais il se distingue bientôt par sa bravoure[1].

Les Philistins réunirent leurs armées pour faire la guerre. Saül et les hommes d'Israël se rassemblèrent aussi ; ils se mirent en ordre de bataille contre les Philistins. Les Philistins étaient vers la montagne d'un côté, et Israël était vers la
5 montagne de l'autre côté : la vallée[2] les séparait.

Un homme sortit alors du camp des Philistins et s'avança entre les deux armées. Il se nommait Goliath, il était de Gath, et il avait une taille de six coudées et un empan[3]. Sur sa tête était un casque d'airain[4], et il portait une cuirasse[5] à écailles
10 du poids de cinq mille sicles d'airain[6]. Il avait aux jambes une armure d'airain, et un javelot d'airain entre les épaules. Le bois de sa lance était comme une ensouple[7] de tisserand, et la lance pesait six cents sicles de fer. Celui qui portait son bouclier marchait devant lui.

15 Le Philistin s'arrêta ; et, s'adressant aux troupes d'Israël rangées en bataille, il leur cria :

« Pourquoi sortez-vous pour vous ranger en bataille ? Ne suis-je pas le Philistin, et n'êtes-vous pas des esclaves de Saül ?

---

1. ***Bravoure*** : courage.
2. ***La vallée*** : il s'agit de la vallée du Térébinthe, à une vingtaine de kilomètres au sud-ouest de Bethléem.
3. ***Six coudées et un empan*** : plus de 2,80 m.
4. ***Airain*** : bronze, métal qui faisait office de fer, avant que celui-ci fût inventé.
5. ***Cuirasse*** : armure.
6. ***Cinq mille sicles d'airain*** : environ 60 kg.
7. ***Ensouple*** : cylindre du métier à tisser sur lequel s'enroule le tissu.

Choisissez un homme qui descende contre moi ! S'il peut me battre et qu'il me tue, nous vous serons assujettis ; mais si je l'emporte sur lui et que je le tue, vous nous serez assujettis et vous nous servirez. »

Saül et tout Israël entendirent ces paroles du Philistin, et ils furent effrayés et saisis d'une grande crainte.

David dit à Saül :

« Que personne ne se décourage à cause de ce Philistin ! Ton serviteur[1] ira se battre avec lui. »

Saül dit à David :

« Tu ne peux pas aller te battre avec ce Philistin, car tu es un enfant, et il est un homme de guerre dès sa jeunesse. »

David dit à Saül :

« Ton serviteur faisait paître les brebis de son père. Et quand un lion ou un ours venait en enlever une du troupeau, je courais après lui, je le frappais, et j'arrachais la brebis de sa gueule. S'il se dressait contre moi, je le saisissais par la gorge, je le frappais, et je le tuais. C'est ainsi que ton serviteur a terrassé[2] le lion et l'ours, et il en sera du Philistin comme de l'un d'eux, car il a insulté l'armée du Dieu vivant. L'Éternel, qui m'a délivré de la griffe du lion et de la patte de l'ours, me délivrera aussi de la main de ce Philistin. »

Et Saül dit à David :

« Va, et que l'Éternel soit avec toi ! »

Saül fit mettre ses vêtements à David, il plaça sur sa tête un casque d'airain, et le revêtit d'une cuirasse. David ceignit[3] l'épée de Saül par-dessus ses habits, et voulut marcher, car il n'avait pas encore essayé. Mais il dit à Saül :

---

1. ***Ton serviteur*** : c'est-à-dire « moi qui te parle, David ».

2. ***A terrassé*** : a vaincu.

3. ***Ceignit*** : se mit autour de la taille.

«Je ne puis pas marcher avec cette armure, je n'y suis pas accoutumé.»

Et il s'en débarrassa. Il prit en main son bâton, choisit dans le torrent cinq pierres polies, et les mit dans sa gibecière[1] de berger et dans sa poche. Puis, sa fronde à la main, il s'avança contre le Philistin.

Le Philistin s'approcha peu à peu de David, le regarda, et lorsqu'il aperçut David, il le méprisa, ne voyant en lui qu'un enfant, blond et d'une belle figure. Le Philistin dit à David :

«Suis-je un chien pour que tu viennes à moi avec des bâtons ? Viens vers moi, et je donnerai ta chair aux oiseaux du ciel et aux bêtes des champs.»

David dit au Philistin :

«Tu marches contre moi avec l'épée, la lance et le javelot ; et moi, je marche contre toi au nom de l'Éternel des armées, du Dieu de l'armée d'Israël, que tu as insultée. Aujourd'hui l'Éternel te livrera entre mes mains, je t'abattrai et je te couperai la tête ; aujourd'hui je donnerai les cadavres du camp des Philistins aux oiseaux du ciel et aux animaux de la terre. Et toute la terre saura qu'Israël a un Dieu. Et toute cette multitude saura que ce n'est ni par l'épée ni par la lance que l'Éternel sauve. Car la victoire appartient à l'Éternel. Et il vous livre entre nos mains.»

Aussitôt que le Philistin se mit en mouvement pour marcher au-devant de David, David courut sur le champ de bataille à la rencontre du Philistin. Il mit la main dans sa gibecière, y prit une pierre, et la lança avec sa fronde ; il frappa le Philistin au front, et la pierre s'enfonça dans le front du Philistin, qui tomba le visage contre terre.

Ainsi, avec une fronde et une pierre, David fut plus fort que le Philistin ; il le terrassa et lui ôta la vie, sans avoir d'épée à la main.

---

1. ***Gibecière*** : sac porté en bandoulière.

Il courut, s'arrêta près du Philistin, se saisit de son épée qu'il tira du fourreau[1], le tua et lui coupa la tête. Les Philistins, voyant que leur héros était mort, prirent la fuite. Et les hommes d'Israël et de
80 Juda[2] poussèrent des cris, et allèrent à la poursuite des Philistins jusque dans la vallée et jusqu'aux portes d'Ékron[3].

Premier livre de Samuel, **17**, 1-52.

[Jaloux des succès de David, le roi Saül le poursuit de sa haine, avant de se donner la mort à la suite d'une défaite contre les Philistins. David lui succède sur le trône de Juda et d'Israël, et soumet définitivement les Philistins, ainsi que d'autres peuples voisins. Il donne à son royaume une capitale, Jérusalem, qui devient « la Cité de David », où il construit son palais et transfère l'arche d'Alliance[4]. À sa mort, David laisse à son fils Salomon un royaume vaste et respecté de ses voisins.]

Le jugement de Salomon

Salomon, dont le nom signifie « le Pacifique », inaugure alors un règne de paix et de prospérité : c'est lui qui bâtit le Temple de Jérusalem destiné à abriter l'arche d'Alliance, mais il est encore plus connu pour sa légendaire sagesse.

Salomon s'allia par mariage avec Pharaon, roi d'Égypte. Il prit pour femme la fille de Pharaon, et il l'amena dans la ville de David, jusqu'à ce qu'il eût achevé de bâtir sa maison, la maison de l'Éternel[5], et le mur d'enceinte de Jérusalem.

1. ***Fourreau*** : étui de l'épée.
2. ***Juda*** : principale des douze tribus d'Israël, dont est issu David. Jérusalem, capitale de Juda, est aussi capitale du royaume d'Israël.
3. ***Ékron*** : ville philistine.
4. ***Arche d'Alliance*** : meuble sacré contenant les Tables de la Loi et symbolisant l'alliance entre Dieu et le peuple d'Israël.
5. ***La maison de l'Éternel*** : le Temple de Jérusalem.

À Gabaon[1], l'Éternel apparut en songe à Salomon pendant la nuit, et Dieu lui dit :

« Demande ce que tu veux que je te donne. »

Salomon répondit :

« Tu as traité avec une grande bienveillance ton serviteur David, mon père, parce qu'il marchait en ta présence dans la fidélité, dans la justice et dans la droiture de cœur envers toi ; tu lui as conservé cette grande bienveillance, et tu lui as donné un fils qui est assis sur son trône, comme on le voit aujourd'hui. Maintenant, Éternel mon Dieu, tu as fait régner ton serviteur[2] à la place de David, mon père ; et moi je ne suis qu'un jeune homme, je n'ai point d'expérience. Ton serviteur est au milieu du peuple que tu as choisi, peuple immense, qui ne peut être ni compté ni nombré, à cause de sa multitude. Accorde donc à ton serviteur un cœur intelligent pour juger ton peuple, pour discerner le bien du mal ! Car qui pourrait juger ton peuple, ce peuple si nombreux ? »

Cette demande de Salomon plut au Seigneur. Et Dieu lui dit :

« Puisque c'est là ce que tu demandes, puisque tu ne demandes pour toi ni une longue vie, ni les richesses, ni la mort de tes ennemis, et que tu demandes de l'intelligence pour exercer la justice, voici, j'agirai selon ta parole. Je te donnerai un cœur sage et intelligent, de telle sorte qu'il n'y aura eu personne avant toi et qu'on ne verra jamais personne de semblable à toi. Je te donnerai, en outre, ce que tu n'as pas demandé, des richesses et de la gloire, de telle sorte qu'il n'y aura pendant toute ta vie aucun roi qui soit ton pareil. Et si tu marches dans

---

1. ***Gabaon*** : lieu saint situé à quelques kilomètres de Jérusalem.
2. ***Ton serviteur*** : c'est-à-dire « moi qui te parle, Salomon ».

mes voies, en observant[1] mes lois et mes commandements, comme l'a fait David, ton père, je prolongerai tes jours.»

35 Salomon s'éveilla. Et voilà le songe. Salomon revint à Jérusalem et se présenta devant l'arche de l'Alliance de l'Éternel. Il offrit des holocaustes et des sacrifices d'actions de grâces[2], et il fit un festin à tous ses serviteurs.

Alors deux femmes prostituées vinrent chez le roi et se 40 présentèrent devant lui. L'une des femmes dit :

«Pardon ! mon seigneur, moi et cette femme nous demeurions dans la même maison, et je suis accouchée près d'elle dans la maison. Trois jours après, cette femme est aussi accouchée. Nous habitions ensemble, aucun étranger n'était avec 45 nous dans la maison, il n'y avait que nous deux. Le fils de cette femme est mort pendant la nuit, parce qu'elle s'était couchée sur lui. Elle s'est levée au milieu de la nuit, elle a pris mon fils à mes côtés tandis que ta servante[3] dormait, et elle l'a couché dans son sein ; et son fils qui était mort, elle l'a 50 couché dans mon sein. Le matin, je me suis levée pour allaiter mon fils ; et voici, il était mort. Je l'ai regardé attentivement le matin ; et voici, ce n'était pas mon fils que j'avais enfanté.»

L'autre femme dit :

«Au contraire ! c'est mon fils qui est vivant, et c'est ton fils 55 qui est mort.»

Mais la première répliqua :

«Nullement ! C'est ton fils qui est mort, et c'est mon fils qui est vivant.»

C'est ainsi qu'elles parlèrent devant le roi.

---

1. ***En observant*** : en respectant.
2. ***Sacrifices d'actions de grâces*** : sacrifices destinés à remercier Dieu.
3. ***Ta servante*** : «moi qui te parle».

Le roi dit :

«Apportez-moi une épée.»

On apporta une épée devant le roi. Et le roi dit :

«Coupez en deux l'enfant qui vit, et donnez-en la moitié à l'une et la moitié à l'autre.»

Alors, la femme dont le fils était vivant sentit ses entrailles s'émouvoir pour son fils, et elle dit au roi :

«Ah! mon seigneur, donnez-lui l'enfant qui vit, et ne le faites point mourir.»

Mais l'autre dit :

«Il ne sera ni à moi ni à toi; coupez-le!»

Et le roi, prenant la parole, dit :

«Donnez à la première l'enfant qui vit, et ne le faites point mourir. C'est elle qui est sa mère.»

Tout Israël apprit le jugement que le roi avait prononcé. Et l'on craignit le roi, car on vit que la sagesse de Dieu était en lui pour le diriger dans ses jugements.

Premier livre des Rois, **3**, 1-28.

Pour tous les extraits de l'Ancien Testament :
Ancien Testament, trad. Louis Segond, édition abrégée Yves Stalloni,

II. Le Nouveau Testament

Jésus et son temps

Jésus-Christ est un personnage tellement important pour la culture occidentale qu'on a fait de sa naissance l'an 1 du calendrier. Il serait né en réalité quatre à sept ans avant cette date. À cette époque, le royaume d'Israël n'était plus indépendant. Depuis les règnes glorieux de David et de Salomon, le peuple juif avait connu bien des déboires : la division du royaume en deux États rivaux, les guerres étrangères, la destruction du Temple et l'exil d'une partie du peuple à Babylone, événements tragiques que raconte l'Ancien Testament. Du temps de Jésus, la « Terre promise » vit sous la domination de Rome.

Un nouveau roi d'Israël ?

Jésus se disait fils du Dieu des juifs et parlait en son nom, comme les prophètes. Son enseignement connut un tel succès qu'on reconnut bientôt en lui un nouveau roi des juifs, un « fils de David », ou un « Christ », c'est-à-dire « oint » en grec, car on oignait les rois d'huile sainte pour les sacrer au nom de Dieu. C'est donc d'abord aux représentants de l'autorité politique romaine établie en Palestine que ce nouveau prophète déplut.

L'enseignement du Christ

Mais le « royaume » que proposait Jésus-Christ n'était pas un nouveau royaume d'Israël : c'était un royaume symbolique, une nouvelle alliance entre Dieu et les hommes, tous les hommes, cette fois, non plus seulement le peuple d'Israël. À en croire le Christ, Dieu pardonnait, une fois pour toutes, les péchés de tous et promettait la vie éternelle après la mort à qui pardonnerait comme lui et aimerait son prochain comme lui-même. Jésus prenait ses distances avec la tradition héritée de Moïse, accusant les docteurs de la Loi, c'est-à-dire les prêtres et les spécialistes de la tradition religieuse, d'être des pratiquants hypocrites, plus attachés à l'application minutieuse des rites qu'aux principes d'amour et de pardon voulus par le Dieu d'Israël.

Un prophète encombrant

Ces accusations portées par Jésus, sa prétention à parler et à pardonner les péchés au nom de Dieu et la promesse qu'il

apportait d'une résurrection après la mort offensaient autant l'amour-propre que les principes des grands prêtres. Ils le firent arrêter, le jugèrent et le remirent à Ponce Pilate, représentant de l'empereur romain à Jérusalem. Sous la pression de la foule, ce dernier le fit mourir sur une croix de bois, comme un brigand.
Or ce supplice, qui devait mettre fin à ce qu'on considérait comme une dangereuse hérésie, ne fit que lui donner de l'ampleur. Le mouvement devint bientôt une nouvelle religion : le christianisme. Par sa mort, avait prévenu le Christ, il rachetait les péchés de toute l'humanité, et l'on raconta – mythe ou réalité ? – que, pour prouver sa nature divine, il ressuscita, trois jours après sa mise au tombeau, et monta au ciel après être apparu à ses disciples.

Les Apôtres, les Évangiles et le Nouveau Testament

Les disciples du Christ, que l'on appelle aussi les Apôtres, répandirent l'enseignement de leur maître, la « bonne parole », dans des récits d'abord transmis oralement, puis écrits en grec par eux-mêmes, ou plus probablement par des auteurs postérieurs. Quatre « Évangiles » (du grec *euaggelia*, « bonne parole ») ont été retenus par la tradition : ceux des apôtres Matthieu, Luc, Marc et Jean. Ces récits avaient pour objet de rapporter les discour du Christ et de glorifier sa personne en racontant les nombreux miracles qu'on lui prêtait. C'est par ces Évangiles que l'on connaît l'essentiel de la vie du Christ.
Avec d'autres écrits des Apôtres (les Actes des Apôtres et les Épîtres), les Évangiles constituent ce que les chrétiens appellent le « Nouveau Testament », c'est-à-dire l'ensemble des textes témoignant de la nouvelle Alliance – *testamentum*, en latin – entre Dieu et les hommes, annoncée par la personne du Christ.
Les chrétiens continuèrent de lire la Bible des juifs, car le Christ était juif et appuyait sans cesse son enseignement sur ce texte, mais il ne la considérèrent plus que comme une première étape, une première Alliance, entre Dieu et une partie des hommes – un

Ancien Testament – avant l'annonce de la nouvelle Alliance, plus importante, entre Dieu et tous les hommes.
Ancien et Nouveau Testament composèrent dès lors la Bible des chrétiens.

Un enfant pas comme les autres

L'Annonciation

Au sixième mois, l'ange Gabriel fut envoyé par Dieu dans une ville de Galilée*, appelée Nazareth*, auprès d'une vierge fiancée à un homme de la maison de David[1], nommé Joseph. Le nom de la vierge était Marie. L'ange entra chez
5 elle, et dit : « Je te salue, toi à qui une grâce[2] a été faite; le Seigneur est avec toi. » Troublée par cette parole, Marie se demandait ce que pouvait signifier une telle salutation. L'ange lui dit : « Ne crains point, Marie; car tu as trouvé grâce devant Dieu. Et voici, tu deviendras enceinte, et tu
10 enfanteras un fils, et tu lui donneras le nom de Jésus. Il sera grand et sera appelé Fils du Très-Haut, et le Seigneur Dieu lui donnera le trône de David, son père. Il régnera sur la maison de Jacob[3] éternellement, et son règne n'aura point de fin. » Marie dit à l'ange : Comment cela se fera-t-il,
15 puisque je ne connais point d'homme ? L'ange lui répondit : « Le Saint-Esprit viendra sur toi, et la puissance du Très-Haut te couvrira de son ombre. C'est pourquoi le saint enfant qui naîtra de toi sera appelé Fils de Dieu. »

Évangile de Luc, **1**, 26-35.

---

1. ***Maison de David*** : tribu de Juda, au sud de la Palestine.
2. ***Grâce*** : faveur.
3. ***Maison de Jacob*** : peuple d'Israël.

La Nativité

En ce temps-là parut un édit de César Auguste[1], ordonnant
un recensement de toute la terre. Ce premier recensement eut
lieu pendant que Quirinius était gouverneur de Syrie*. Tous
allaient se faire inscrire, chacun dans sa ville. Joseph aussi
monta de la Galilée, de la ville de Nazareth, pour se rendre en
Judée[2], dans la ville de David, appelée Bethléem, parce qu'il
était de la maison et de la famille de David, afin de se faire
inscrire avec Marie, sa fiancée, qui était enceinte.

Pendant qu'ils étaient là, le temps où Marie devait accoucher
arriva, et elle enfanta son fils premier-né. Elle l'emmaillota[3], et
le coucha dans une crèche, parce qu'il n'y avait pas de place
pour eux dans l'hôtellerie[4].

Évangile de Luc, **2**, 1-7.

L'adoration des mages

Jésus étant né à Bethléem en Judée, au temps du roi
Hérode[5], voici que des mages d'Orient arrivèrent à Jérusalem, et dirent : « Où est le roi des juifs qui vient de naître ? car
nous avons vu son étoile en Orient, et nous sommes venus
pour l'adorer. » Le roi Hérode, ayant appris cela, fut troublé, et
tout Jérusalem avec lui. Il assembla tous les grands prêtres et
les scribes[6] du peuple, et il s'informa auprès d'eux où devait
naître le Christ. Ils lui dirent : « À Bethléem en Judée » ; car
voici ce qui a été écrit par le prophète :

---

1. ***Un édit de César Auguste*** : un ordre de César Auguste, empereur de Rome.
2. ***Judée*** : région de la tribu de Juda, autour de Jérusalem (voir carte p. 114).
3. ***Emmaillota*** : enveloppa dans un tissu.
4. ***Hôtellerie*** : auberge.
5. ***Hérode*** : roi de Judée, soumis à l'autorité de Rome.
6. ***Scribes*** : spécialistes de la Loi de Moïse et des prophètes. Ils l'enseignent et l'interprètent.

40 «Et toi, Bethléem, terre de Juda, tu n'es certes pas la moindre entre les principales villes de Juda, car de toi sortira un chef qui fera paître Israël, mon peuple[1].»

Alors Hérode fit appeler en secret les mages, et leur demanda depuis combien de temps précisément l'étoile brillait.

45 Puis il les envoya à Bethléem, en disant : Allez, et prenez des informations exactes sur le petit enfant ; quand vous l'aurez trouvé, faites-le-moi savoir, afin que j'aille aussi moi-même l'adorer.

Après avoir entendu le roi, ils partirent. Et voici que l'étoile 50 qu'ils avaient vue en Orient marchait devant eux jusqu'à ce qu'étant arrivée au-dessus du lieu où était le petit enfant, elle s'arrêta. Quand ils aperçurent l'étoile, ils furent saisis d'une très grande joie.

Ils entrèrent dans la maison, virent le petit enfant avec 55 Marie, sa mère, se prosternèrent et l'adorèrent ; ils ouvrirent ensuite leurs trésors, et lui offrirent en présent[2] de l'or, de l'encens et de la myrrhe[3].

Puis, divinement avertis en songe de ne pas retourner vers Hérode, ils regagnèrent leur pays par un autre chemin.

Évangile de Matthieu, **2**, 1-12.

La fuite en Égypte et le massacre des Innocents

60 Lorsqu'ils furent partis, voici, un ange du Seigneur apparut en songe à Joseph, et dit : «Lève-toi, prends le petit enfant et sa mère, fuis en Égypte, et restes-y jusqu'à ce que je te parle ; car Hérode cherchera le petit enfant pour le faire périr.»

Joseph se leva, prit de nuit le petit enfant et sa mère, et se 65 retira en Égypte. Il y resta jusqu'à la mort d'Hérode.

1. Citation quelque peu déformée d'un extrait de l'Ancien Testament.
2. ***En présent*** : en cadeau.
3. ***Encens***, ***myrrhe*** : parfums d'Arabie, fort précieux.

Alors Hérode, voyant qu'il avait été joué par les mages, se mit dans une grande colère, et il envoya tuer tous les enfants de deux ans et au-dessous qui étaient à Bethléem et dans tout son territoire, selon la date dont il s'était soigneusement enquis[1] auprès des mages.

Évangile de Matthieu, **2**, 13-16.

L'enseignement de Jésus-Christ

Après la mort d'Hérode, Marie et Joseph retournent en Palestine et s'installent en Galilée, à Nazareth. Jésus grandit, devient charpentier comme Joseph, mais révèle très tôt une remarquable connaissance de l'Écriture sainte : dès l'âge de douze ans, il discute avec des spécialistes de la Loi. Vers l'âge de trente ans, il entre dans la vie publique : s'entourant d'une douzaine de disciples (les Apôtres), il voyage en Galilée où il s'adresse à des foules de plus en plus nombreuses. Trois anecdotes illustrent les principes de fraternité, d'humilité et de pauvreté qu'il demande aux hommes de cultiver pour accéder au royaume de Dieu, c'est-à-dire à la vie éternelle après la mort : il faut aimer son prochain, avoir le cœur simple, pur comme celui d'un enfant, et ne pas s'attacher aux richesses matérielles.

La famille de Jésus

Jésus et ses Apôtres se rendirent à la maison[2], et la foule s'assembla de nouveau, en sorte qu'ils ne pouvaient pas même prendre leur repas. Les gens de sa famille ayant appris ce qui se passait, vinrent pour se saisir de lui ; car ils disaient : « Il a perdu la tête. » Survinrent sa mère et ses frères, qui, se tenant dehors, l'envoyèrent appeler. La foule était assise autour de

---

1. ***Enquis*** : informé.
2. ***À la maison*** : à la maison de l'apôtre Simon, à Capharnaüm*.

lui, et on lui dit : «Voici, ta mère et tes frères sont dehors et te demandent.» Et il répondit : «Qui est ma mère, et qui sont mes frères ? » Puis, jetant les regards sur ceux qui étaient assis
10 tout autour de lui : «Voici, dit-il, ma mère et mes frères. Car, quiconque fait la volonté de Dieu, celui-là est mon frère, ma sœur, et ma mère.»

Évangile de Marc, **3**, 20-35.

Jésus et les enfants

On lui amena des petits enfants, pour qu'il les touche[1]. Mais les disciples reprirent[2] ceux qui les amenaient. Jésus,
15 voyant cela, fut indigné, et leur dit : «Laissez venir à moi les petits enfants, et ne les en empêchez pas; car le royaume de Dieu est pour ceux qui leur ressemblent. Je vous le dis en vérité, quiconque ne recevra pas le royaume de Dieu comme un petit enfant n'y entrera point. Puis il les prit dans ses bras,
20 et les bénit, en leur imposant les mains[3].»

Évangile de Marc, **10**, 13-16.

Jésus et le riche

Comme Jésus se mettait en chemin, un homme accourut, et, se jetant à genoux devant lui : «Bon maître, lui demanda-t-il, que dois-je faire pour hériter la vie éternelle ?» Jésus lui dit : «Pourquoi m'appelles-tu bon ? Il n'y a de bon que Dieu
25 seul.

«Tu connais les commandements : "Tu ne commettras point d'adultère; tu ne tueras point; tu ne déroberas point; tu ne diras point de faux témoignage; tu ne feras tort à personne;

---

1. ***Pour qu'il les touche*** : pour les guérir.
2. ***Reprirent*** : firent des reproches à.
3. ***En leur imposant les mains*** : en étendant les mains sur eux (pour les bénir ou les guérir).

honore ton père et ta mère."» Il lui répondit : «Maître, j'ai observé toutes ces choses dès ma jeunesse.» Jésus, l'ayant regardé, l'aima, et lui dit : «Il te manque une chose ; va, vends tout ce que tu as, donne-le aux pauvres, et tu auras un trésor dans le ciel. Puis viens, et suis-moi.» Mais, affligé[1] de cette parole, cet homme s'en alla tout triste ; car il avait de grands biens. Jésus, regardant autour de lui, dit à ses disciples : «Mes enfants, qu'il est difficile à ceux qui se confient dans les richesses[2] d'entrer dans le royaume de Dieu ! Il est plus facile à un chameau de passer par le trou d'une aiguille qu'à un riche d'entrer dans le royaume de Dieu.»

Évangile de Marc, **10**, 17-25.

Des miracles à scandale

Tout en prêchant le plus grand de ses principes, l'amour du prochain, Jésus, disent les Évangiles, accomplit de nombreux miracles, prouvant ainsi la nature divine de sa mission. Mais les miracles de Jésus, tout comme son enseignement, ne sont pas du goût des docteurs de la Loi : ils y voient un outrage contre la tradition héritée de Moïse et des prophètes.

Ils[3] se rendirent à Capharnaüm*. Et, le jour du sabbat[4], Jésus entra d'abord dans la synagogue[5], et il enseigna. Ils étaient frappés de sa doctrine[6] ; car il enseignait comme ayant

---

1. ***Affligé*** : attristé.
2. ***Se confient dans les richesses*** : sont attachés aux richesses.
3. ***Ils*** : Jésus et ses Apôtres.
4. ***Jour du sabbat*** : septième jour de la semaine, où il était interdit de travailler. C'est un des dix commandements transmis par Dieu à Moïse.
5. ***Synagogue*** : édifice du culte des israélites.
6. ***Doctrine*** : enseignement.

autorité, et non pas comme les scribes. Il se trouva dans leur synagogue un homme qui avait un esprit impur, et qui s'écria : «Qu'y a-t-il entre nous et toi, Jésus de Nazareth ? Tu es venu pour nous perdre. Je sais qui tu es : le Saint de Dieu.» Jésus le menaça, disant : «Tais-toi, et sors de cet homme.» Et l'esprit impur sortit de cet homme, en l'agitant avec violence, et en poussant un grand cri.

Tous furent saisis de stupéfaction, de sorte qu'ils se demandaient les uns aux autres : «Qu'est-ce que ceci ? Une nouvelle doctrine ! Il commande avec autorité même aux esprits impurs, et ils lui obéissent !» Et sa renommée se répandit aussitôt dans tous les lieux environnants de la Galilée.

Évangile de Marc, **1**, 21-28.

Quelques jours après, Jésus revint à Capharnaüm. On apprit qu'il était à la maison[1] et il s'assembla un si grand nombre de personnes que l'espace devant la porte ne pouvait plus les contenir. Il leur annonçait la parole. Des gens vinrent à lui, amenant un paralytique[2] porté par quatre hommes. Comme ils ne pouvaient l'aborder, à cause de la foule, ils découvrirent le toit[3] de la maison où il était, et ils descendirent par cette ouverture le lit sur lequel le paralytique était couché. Jésus, voyant leur foi, dit au paralytique : «Mon enfant, tes péchés sont pardonnés.» Il y avait là quelques scribes, qui étaient assis, et qui se disaient au-dedans d'eux :

Comment cet homme parle-t-il ainsi ? Il blasphème[4]. Qui peut pardonner les péchés, si ce n'est Dieu seul ? Jésus, ayant aussitôt connu par son esprit ce qu'ils pensaient au-dedans

1. ***À la maison*** : chez Simon et André, deux des Apôtres.
2. ***Paralytique*** : homme paralysé.
3. ***Ils découvrirent le toit*** : ils enlevèrent une partie de la toiture.
4. ***Il blasphème*** : il outrage Dieu.

d'eux, leur dit : «Pourquoi avez-vous de telles pensées dans vos cœurs? Qu'est-ce qu'il est plus aisé, de dire au paralytique : "Tes péchés sont pardonnés", ou de dire : "Lève-toi, prends ton lit, et marche" ? Or, afin que vous sachiez que le Fils de l'homme[1] a sur la terre le pouvoir de pardonner les péchés : "Je te l'ordonne, dit-il au paralytique, lève-toi, prends ton lit, et va dans ta maison".» Et, à l'instant, il se leva, prit son lit, et sortit en présence de tout le monde, de sorte qu'ils étaient tous dans l'étonnement et glorifiaient Dieu, disant : «Nous n'avons jamais rien vu de pareil.»

Évangile de Marc, **2**, 1-12.

Jésus entra dans la synagogue. Il s'y trouvait un homme qui avait la main sèche. Les Pharisiens[2] observaient Jésus, pour voir s'il le guérirait le jour du sabbat : c'était afin de pouvoir l'accuser[3]. Et Jésus dit à l'homme qui avait la main sèche : «Lève-toi, là au milieu.» Puis il leur dit : «Est-il permis, le jour du sabbat, de faire du bien ou de faire du mal, de sauver une personne ou de la tuer?» Mais ils gardèrent le silence. Alors, promenant ses regards sur eux avec indignation, et en même temps affligé de l'endurcissement de leur cœur, il dit à l'homme : «Étends ta main.» Il l'étendit, et sa main fut guérie. Les Pharisiens sortirent, et aussitôt ils se consultèrent avec les Hérodiens[4] sur les moyens de le faire périr.

Évangile de Marc, **3**, 1-6.

---

1. ***Fils de l'homme*** : dans l'Ancien Testament, l'expression sert à désigner un envoyé du ciel. Paradoxalement, Jésus se l'applique pour se désigner comme fils de Dieu.

2. ***Pharisiens*** : juifs très attachés à la tradition et à la loi de Moïse (voir les dix commandements, p. 134).

3. C'est-à-dire de l'accuser de travailler un jour de sabbat, en guérissant un homme.

4. ***Hérodiens*** : représentants d'Hérode, roi de Galilée.

Mort et résurrection

Au cours de nombreux voyages en Galilée, Jésus poursuit ses enseignements et ses miracles, suscitant autant la ferveur populaire que la haine des docteurs de la Loi. Venu à Jérusalem avec ses douze apôtres pour célébrer la Pâque[1] juive, il passe ses journées à enseigner dans le Temple, où il soutient de vives polémiques avec les prêtres. Ces derniers ne le supportent plus et imaginent un plan pour faire arrêter le dangereux prédicateur.

Conspiration et trahison

La fête de Pâque et des pains sans levain devait avoir lieu deux jours après. Les principaux sacrificateurs et les scribes cherchaient les moyens d'arrêter Jésus par ruse, et de le faire mourir. Car ils disaient : « Que ce ne soit pas pendant la fête,
5 afin qu'il n'y ait pas de tumulte[2] parmi le peuple. »

Judas Iscariot, l'un des douze [apôtres], alla vers les principaux sacrificateurs[3], afin de leur livrer Jésus. Après l'avoir entendu, ils furent dans la joie, et promirent de lui donner de l'argent. Et Judas cherchait une occasion favorable pour le livrer.

Évangile de Marc **14**, 1-12.

La dernière Cène

Deux jours plus tard, Jésus célèbre la Pâque avec ses douze apôtres : il leur annonce que, en mourant, il sera le véritable « agneau » de la fête, l'agneau de Dieu, dont le sacrifice rachètera les péchés des hommes.

---

1. ***Pâque*** : fête juive qui commémore la sortie d'Égypte du peuple d'Israël sous la conduite de Moïse (voir Ancien Testament, p. 132). Lors de cette fête, on sacrifiait un agneau, que l'on mangeait avec du pain azyme, c'est-à-dire sans levain.

2. ***Tumulte*** : agitation.

3. ***Sacrificateurs*** : prêtres.

Pendant qu'ils étaient à table et qu'ils mangeaient, Jésus dit : «Je vous le dis en vérité, l'un de vous, qui mange avec moi, me livrera.» Ils commencèrent à s'attrister, et à lui dire, l'un après l'autre : Est-ce moi ? Il leur répondit : «C'est l'un des douze, qui met avec moi la main dans le plat. Le Fils de l'homme s'en va. Mais malheur à l'homme par qui le Fils de l'homme est livré ! Mieux vaudrait pour cet homme qu'il ne fût pas né.» Pendant qu'ils mangeaient, Jésus prit du pain ; et, après avoir rendu grâces[1], il le rompit, et le leur donna, en disant : «Prenez, ceci est mon corps.» Il prit ensuite une coupe ; et, après avoir rendu grâces, il la leur donna, et ils en burent tous. Et il leur dit : «Ceci est mon sang, le sang de l'alliance, qui est répandu pour plusieurs. Je vous le dis en vérité, je ne boirai plus jamais du fruit de la vigne, jusqu'au jour où je le boirai nouveau dans le royaume de Dieu.»

Évangile de Marc, **14**, 18-25.

Le jugement

Aidés par Judas Iscariot, les grands prêtres s'emparent de Jésus hors des regards de la foule et le livrent à Ponce Pilate, le représentant de l'autorité romaine en Judée. C'est alors que commence la « passion » du Christ, c'est-à-dire les souffrances qui le conduiront à la mort.

Dès le matin, les grands prêtres tinrent conseil avec les anciens et les scribes, et tout le sanhédrin[2]. Après avoir lié Jésus, ils l'emmenèrent, et le livrèrent à Pilate. Pilate l'interrogea : «Es-tu le roi des juifs ?» Jésus lui répondit : «Tu le dis.» Les principaux sacrificateurs portaient contre lui plusieurs accusations. Pilate l'interrogea de nouveau : «Ne réponds-tu

---

1. ***Rendu grâces*** : remercié (Dieu).
2. ***Sanhédrin*** : tribunal suprême des juifs.

rien ? Vois de combien de choses ils t'accusent.» Et Jésus ne fit plus aucune réponse, ce qui étonna Pilate. À chaque fête, il relâchait un prisonnier, celui que demandait la foule. Il y avait en prison un nommé Barabbas avec ses complices, pour un
35 meurtre qu'ils avaient commis dans une sédition[1]. La foule, étant montée[2], se mit à demander ce qu'il avait coutume de leur accorder. Pilate leur répondit : «Voulez-vous que je vous relâche le roi des juifs ?» Car il savait que c'était par jalousie que les grands prêtres l'avaient livré. Mais les grands prêtres
40 excitèrent la foule, afin que Pilate leur relâchât plutôt Barabbas. Pilate, reprenant la parole, leur dit : «Que voulez-vous donc que je fasse de celui que vous appelez le roi des juifs ?» Ils crièrent de nouveau : Crucifie-le! «Pilate leur dit : «Quel mal a-t-il fait ?» Et ils crièrent encore plus fort : «Crucifie-le !»
45 Pilate, voulant satisfaire la foule, leur relâcha Barabbas ; et, après avoir fait battre de verges[3] Jésus, il le livra pour être crucifié.

Évangile de Marc, **15**, 1-15.

Le couronnement d'épines et le chemin de croix

Les soldats conduisirent Jésus à l'intérieur du Prétoire[4], et ils assemblèrent toute la cohorte[5]. Ils le revêtirent de pourpre[6],
50 et posèrent sur sa tête une couronne d'épines, qu'ils avaient tressée. Puis ils se mirent à le saluer : «Salut, roi des juifs !» Et ils lui frappaient la tête avec un roseau, crachaient sur lui, et, fléchissant les genoux, ils se prosternaient devant lui.

---

1. ***Sédition*** : émeute.
2. ***Étant montée*** : s'étant rendue au palais de Pilate, où l'on rendait la justice.
3. ***Verges*** : bâtons.
4. ***Prétoire*** : palais du gouverneur romain, Ponce Pilate.
5. ***Cohorte*** : groupe de soldats.
6. ***Pourpre*** : couleur rouge qui était le privilège des rois.

Après s'être ainsi moqués de lui, ils lui ôtèrent la pourpre, lui
55 remirent ses vêtements, et l'emmenèrent pour le crucifier. Ils forcèrent à porter la croix de Jésus un passant qui revenait des champs ; et ils conduisirent Jésus au lieu nommé Golgotha[1], ce qui signifie lieu du crâne. Ils lui donnèrent à boire du vin mêlé de myrrhe[2], mais il ne le prit pas.

La crucifixion

60 Ils le crucifièrent, et se partagèrent ses vêtements, en tirant au sort pour savoir ce que chacun aurait. C'était la troisième heure[3], quand ils le crucifièrent. L'inscription indiquant le sujet de sa condamnation portait ces mots : « Le roi des juifs. » Ils crucifièrent avec lui deux brigands, l'un à sa droite, et l'autre
65 à sa gauche. Les passants l'injuriaient, et secouaient la tête[4]. Les grands prêtres aussi, avec les scribes, se moquaient entre eux, et disaient : « Il a sauvé les autres, et il ne peut se sauver lui-même ! Que le Christ, le roi d'Israël, descende maintenant de la croix, afin que nous voyions et que nous croyions ! »
70 Ceux qui étaient crucifiés avec lui l'insultaient aussi. À midi, il y eut des ténèbres[5] sur toute la terre, jusqu'à trois heures. Et à trois heures, Jésus s'écria d'une voix forte : « Eloï, Eloï, lama sabachthani[6] ? » ce qui signifie : « Mon Dieu, mon Dieu, pourquoi m'as-tu abandonné ? » Quelques-uns de ceux qui

---

1. ***Golgotha*** : colline située à l'extérieur de Jérusalem, sur laquelle les Romains crucifiaient les condamnés.
2. ***Vin mêlé de myrrhe*** : boisson assoupissante destinée à alléger les souffrances.
3. ***C'était la troisième heure*** : il était neuf heures du matin.
4. Geste de mépris.
5. ***Ténèbres*** : ombre, obscurité.
6. Citation en araméen, langue parlée couramment en Palestine. L'hébreu était la langue des prêtres et des savants.

75 étaient là, l'ayant entendu, dirent : «Voici, il appelle Élie[1].» Et l'un d'eux courut remplir une éponge de vinaigre[2], et, l'ayant fixée à un roseau, il lui donna à boire, en disant : «Attendez, voyons si Élie viendra le descendre[3].» Mais Jésus, ayant poussé un grand cri, expira. Le voile du Temple[4] se déchira en deux, 80 depuis le haut jusqu'en bas. Le centurion[5], qui était en face de Jésus, voyant qu'il avait expiré de la sorte, dit : «Assurément, cet homme était Fils de Dieu.» Il y avait aussi des femmes qui regardaient de loin. Parmi elles étaient Marie de Magdala, Marie, mère de Jacques et de José, et Salomé, qui le suivaient 85 et le servaient lorsqu'il était en Galilée, et plusieurs autres qui étaient montées avec lui à Jérusalem.

Évangile de Marc, **15**, 16-41.

La mise au tombeau

Le soir étant venu, comme c'était la préparation, c'est-à-dire la veille du sabbat, arriva Joseph d'Arimathie, membre notable du tribunal, qui lui-même attendait aussi le royaume de Dieu. Il 90 osa se rendre vers Pilate, pour demander le corps de Jésus.

Pilate s'étonna qu'il fût mort si tôt, fit venir le centurion et lui demanda s'il était mort depuis longtemps. S'en étant assuré par le centurion, il donna le corps à Joseph. Et Joseph, ayant

1. ***Élie*** : grand prophète du temps des Rois.
2. Signe de cruauté.
3. Par moquerie, les assistants donnent à boire à Jésus pour prolonger sa vie, afin de voir si Élie viendra le délivrer.
4. ***Le voile du Temple*** : il s'agit du rideau fermant le Saint des Saints, la partie la plus sacrée du Temple de Jérusalem. Son déchirement signifie la fin de l'ancienne Alliance : le Dieu d'Israël, comme le Temple, devient accessible à tous.
5. ***Centurion*** : officier romain.

acheté un linceul[1], descendit Jésus de la croix, l'enveloppa du
5 linceul, et le déposa dans un sépulcre[2] taillé dans le roc. Puis il roula une pierre à l'entrée du sépulcre. Marie de Magdala, et Marie, mère de José, regardaient où on le mettait.

Évangile de Marc, 15, 42-47.

Résurrection et ascension

Lorsque le sabbat fut passé, Marie de Magdala, Marie, mère de Jacques, et Salomé, achetèrent des aromates, afin
10 d'aller embaumer Jésus. Le premier jour de la semaine, elles se rendirent au sépulcre, de grand matin, comme le soleil venait de se lever. Elles disaient entre elles : «Qui nous roulera la pierre loin de l'entrée du sépulcre ? » Et, levant les yeux, elles aperçurent que la pierre, qui était très grande, avait été roulée.
15 Elles entrèrent dans le sépulcre, virent un jeune homme assis à droite vêtu d'une robe blanche, et elles furent épouvantées. Il leur dit : «Ne vous épouvantez pas ; vous cherchez Jésus de Nazareth, qui a été crucifié ; il est ressuscité, il n'est point ici ; voici le lieu où on l'avait mis. Mais allez dire à ses disciples
20 et à Pierre qu'il vous précède en Galilée : c'est là que vous le verrez, comme il vous l'a dit.» Elles sortirent du sépulcre et s'enfuirent. La peur et le trouble les avaient saisies ; et elles ne dirent rien à personne, à cause de leur effroi.

Jésus, étant ressuscité le matin du premier jour de la
25 semaine, apparut d'abord à Marie de Magdala, de laquelle il avait chassé sept démons. Elle alla en porter la nouvelle à ceux qui avaient été avec lui, et qui s'affligeaient et pleuraient. Quand ils entendirent qu'il vivait, et qu'elle l'avait vu, ils ne le crurent point.

---

1. ***Linceul*** : drap servant à ensevelir un mort.
2. ***Sépulcre*** : tombeau.

120 Après cela, il apparut, sous une autre forme, à deux d'entre eux qui étaient en chemin pour aller à la campagne. Ils revinrent l'annoncer aux autres, qui ne les crurent pas non plus.

Enfin, il apparut aux onze[1], pendant qu'ils étaient à table; et il leur reprocha leur incrédulité[2] et la dureté de leur cœur, 125 parce qu'ils n'avaient pas cru ceux qui l'avaient vu ressuscité. Puis il leur dit : «Allez par tout le monde, et prêchez la bonne nouvelle à toute la création[3]. Celui qui croira et qui sera baptisé sera sauvé, mais celui qui ne croira pas sera condamné. Voici les miracles qui accompagneront ceux qui 130 auront cru : en mon nom, ils chasseront les démons; ils parleront de nouvelles langues; ils saisiront des serpents; s'ils boivent quelque breuvage mortel, il ne leur fera point de mal; ils imposeront les mains aux malades, et les malades seront guéris.» Le Seigneur, après leur avoir parlé, fut enlevé 135 au ciel, et il s'assit à la droite de Dieu. Et ils s'en allèrent prêcher partout. Le Seigneur travaillait avec eux, et confirmait la parole par les miracles qui l'accompagnaient.

Évangile de Marc, **16**, 1-20.
Pour tous les extraits du Nouveau Testament :
Nouveau Testament, trad. Louis Segond,
revue et abrégée pour la présente édition.

---

1. ***Aux onze*** : aux onze apôtres. Après avoir trahi Jésus, Judas Iscariot, l'un des douze apôtres, s'est pendu de remords.
2. ***Incrédulité*** : manque de foi, doute.
3. ***Toute la création*** : toute la Terre, créée par Dieu (voir Genèse, p. 115).

DOSSIER

- Avez-vous bien lu ?
- Gilgamesh, à la source des textes fondateurs
- Outils de lecture

Avez-vous bien lu ?

Les textes en version originale

Voici des extraits, dans leur langue originale, des œuvres que vous avez lues en traduction. Saurez-vous les reconnaître ?

Extraits	Langue	Œuvre
Venatum Aeneas unaque miserrima Dido in nemus ire parant …	…………	…………
μόνη δὲ ἦν θνητὴ Μέδουσα· διὰ τοῦτο ἐπὶ τὴν ταύτης κεφαλὴν Περσεὺς ἐπέμφθη.	…………	…………
ὣς ὁ μὲν ἔνθ᾽ ἠρᾶτο πολύτλας δῖος Ὀδυσσεύς, κούρην δὲ προτὶ ἄστυ φέρεν μένος ἡμιόνοιιν.	…………	…………
בְּרֵאשִׁית, בָּרָא אֱלֹהִים, אֵת הַשָּׁמַיִם, וְאֵת הָאָרֶץ. וְהָאָרֶץ, הָיְתָה תֹהוּ וָבֹהוּ, וְחֹשֶׁךְ, עַל-פְּנֵי תְהוֹם; וְרוּחַ אֱלֹהִים, מְרַחֶפֶת עַל-פְּנֵי הַמָּיִם.	…………	…………
ergo ubi Narcissum per deuia rura uagantem uidit et incaluit, sequitur uestigia furtim,	…………	…………
Ἀρχὴ τοῦ εὐαγγελίου Ἰησοῦ Χριστοῦ υἱοῦ θεοῦ. Καθὼς γέγραπται ἐν τῷ Ἠσαΐα τῷ προφήτῃ.	…………	…………
Deinde Romulus et Remus urbem in iisdem locis ubi expositi educatique fuerant condiderunt.	…………	…………
οἳ δ᾽ ἐπεὶ οὖν ἤγερθεν ὁμηγερέες τε γένοντο, τοῖσι δ᾽ ἀνιστάμενος μετέφη πόδας ὠκὺς Ἀχιλλεύς·	…………	…………

Pour vous aider. Cherchez d'abord à reconnaître la langue de ces textes – hébreu, grec ou latin. Pour cela :

– souvenez-vous que la langue française utilise le même alphabet que le latin ;

– tentez de reconnaître les noms propres dans les textes, notamment grâce à la traduction des mots grecs suivants :

- Μέδουσα, *Médoussa* : Méduse
- Περσεὺς, *Perseus* : Persée
- Ὀδυσσεύς, *Odusseus* : Ulysse
- Ἰησοῦ Χριστοῦ, *Hiesou Christou* : Jésus-Christ
- Ἀχιλλεύς *Achilleus* : Achille

Quand vous aurez identifié la langue et les héros de chacune des histoires, vous retrouverez sans peine les œuvres dont proviennent les extraits que vous avez lus en traduction dans cette anthologie.

Cherchez l'intrus

Dans chacune des listes suivantes, retrouvez le nom qui n'a pas sa place :

1. Zeus, Poséidon, Junon, Mars, Yahvé, Vénus
2. Héra, Neptune, Aphrodite, Poséidon, Héphaïstos, Athéna
3. Jésus, Persée, Abraham, Héraclès, Achille, Énée
4. Énée, Orphée, Ulysse, Persée, Héraclès, Hector
5. Jacob, Moïse, Josué, David, Goliath, Salomon
6. Pharaon, Salomon, Adam, Caïn, Ponce Pilate, Abel

Pour vous aider. Voici des indices pour chacune des listes :

1. Monothéisme ou polythéisme ?
2. Grec ou Romain ?
3. Sang divin ou mortel ?
4. Aller-retour pour les Enfers
5. Gare au Philistin !
6. Ne confondons pas les Testaments

Les lieux et leurs grands hommes

Tentez de relier les personnages suivants aux lieux, réels ou imaginaires, qu'ils ont marqués de leur présence : ils y sont nés, y ont vécu ou y ont accompli un fait mémorable. Un personnage peut être lié à plusieurs lieux.

Personnages	Lieux
Ulysse •	• Tyr
Moïse •	• Rome
Jésus •	• La mer Rouge
Énée •	• Le pays de Canaan
David •	• Troie
Salomon •	• Lavinium
Didon •	• Ithaque
Europe •	• Jérusalem
Abraham •	• Carthage
	• Égypte

Des mots pleins d'histoires

Les grands textes de l'Antiquité ont façonné notre langage. Par exemple, le voyage d'Ulysse est tellement célèbre que le mot « odyssée », qui signifie chez Homère « les aventures d'Ulysse », désigne aujourd'hui un voyage long et périlleux.
C'est également le cas pour les termes suivants, tous issus des textes fondateurs et repris dans le langage commun : « jugement de Salomon », « médusé », « cheval de Troie », « narcissique », « David contre Goliath », « jardin d'Éden », « cerbère », « fil d'Ariane », « Judas ».
Retrouvez le sens de ces expressions en les replaçant dans les phrases suivantes :

1. Le comportement .... de cet enfant m'inquiète : il ne s'intéresse qu'à lui-même.

2. Ce tribunal est un modèle de sagesse : il a prononcé un ....

3. Devant ce spectacle incroyable, je suis resté bouche bée, incapable de bouger, complètement ....

4. Mon programme antivirus a détecté un .... qui s'est introduit dans mon ordinateur sans que je m'en aperçoive.

5. Vous ne passerez pas la porte de mon immeuble : le concierge est un véritable ....

6. Vous êtes perdus dans les méandres du problème ? Cet indice est un .... qui vous conduira à la solution.

7. Il a trahi tous ses amis : c'est un vrai ....

8. Légumes, fruits, céréales, fleurs : tout pousse en abondance dans ce ....

9. Le match PSG-Carquefou, c'est un peu ....

À chacun son style

Lisez le texte suivant :

« Lorsque son épouse, Eurydice, mourut d'une morsure de serpent, Orphée descendit dans l'Hadès afin de la ramener en haut et il parvint à persuader Pluton de la renvoyer sur terre. Pluton promit de le faire à condition qu'Orphée, en chemin, ne se retournerait pas jusqu'à ce qu'il ait regagné sa maison. Mais Orphée, désobéissant, se retourna pour regarder sa femme et elle reprit la route d'en bas. »

Questions :

1. Pouvez-vous reconnaître l'auteur de ce texte ? Il s'agit d'un écrivain grec dont vous avez déjà lu de nombreux mythes, qu'il rapporte généralement sous une forme brève.

2. Quel auteur latin a également écrit une version du mythe d'Orphée, que vous avez déjà lue ? Relisez son récit.

3. Comparez les deux versions de la légende d'Orphée : quelle est la différence fondamentale ?

4. Quels éléments du récit développe l'auteur le plus « bavard » ?

Gilgamesh, à la source des textes fondateurs

Repères

La culture mésopotamienne

Le monde des dieux et des héros grecs et romains est-il totalement étranger à celui du Dieu de la Bible ? Rien n'est moins sûr. Il y a à peine plus de cent cinquante ans, des archéologues découvrirent en Irak les traces d'une culture étonnante née il y a plus de cinq mille ans et tombée dans l'oubli peu avant le début de l'ère chrétienne : la culture mésopotamienne[1], formée du mélange de deux peuples – les Akkadiens et les Sumériens. Ces peuples mirent au point l'agriculture, construisirent les premières villes et inventèrent la première écriture de l'histoire : l'écriture cunéiforme, que l'on a découverte sur des tablettes d'argile. Les plus anciennes datent de 3400 av. J.-C.

Gilgamesh et son roman

Beaucoup de ces tablettes rapportent les épisodes d'une même épopée, celle de Gilgamesh, roi d'Uruk[2], et de son ami Enkidu.

---

1. *Mésopotamienne* : de Mésopotamie (du grec *mesos*, « milieu », et *potamos*, « fleuve »), région baignée par deux fleuves : le Tigre et l'Euphrate.
2. Voir carte p. 12.

C'est à Ninive[1], dans la bibliothèque du roi Assurbanipal (669-627 av. J.-C.), que fut retrouvé le plus long fragment de ce texte : mille six cents vers sur les trois mille qu'il devait compter originellement. Son auteur, qui vécut vers 1200 av. J.-C., nous a laissé son nom : Sinleqe'Unnennî, qui signifie en akkadien « Dieu Sîn, reçois ma prière ».
D'autres témoignages confirment que Gilgamesh est un personnage historique, qui aurait régné sur Uruk vers 2600 av. J.-C. Son règne laissa sans doute un souvenir prestigieux et, en se transmettant de génération en génération, la vie de Gilgamesh s'enrichit d'exploits toujours plus merveilleux : le grand roi d'Uruk devint un demi-dieu et l'histoire de sa vie un véritable mythe que l'on racontait dans toute la Mésopotamie.

Le texte fondateur des textes fondateurs

La légende traversa les frontières et, au gré des expéditions militaires et des échanges commerciaux des Sumériens et des Akkadiens vers le bassin méditerranéen, elle parvint en Palestine et en Grèce, inspirant à la fois les légendes de la Bible et celles de la mythologie gréco-romaine.
À vous de retrouver, dans ce premier roman de l'histoire, la trace d'Hercule, d'Achille, de Noé et d'autres encore.

Texte : Gilgamesh, l'homme qui ne voulait pas mourir

Gilgamesh et son double

Gilgamesh, roi d'Uruk, est le fils du roi Lugalbanda et de la déesse Bufflesse Ninsuna. Il élève d'épaisses murailles autour de sa cité d'Uruk, mais emploie sa force débordante à opprimer son peuple. Il force notamment les jeunes épouses à passer dans son lit leur première nuit de noces.

1. Pour visualiser la géographie de Gilgamesh, voir carte p. 114.

Pour répondre aux plaintes des habitants d'Uruk, les dieux créent un homme aussi fort que Gilgamesh, Enkidu. Celui-ci vit dans la steppe comme une bête sauvage jusqu'à ce qu'une courtisane envoyée par les dieux – La Joyeuse – lui fasse découvrir les bonnes manières en même temps que les plaisirs de l'amour. Un jour, un passant qui se rend à une noce lui apprend la coutume barbare à laquelle se livre Gilgamesh. Il décide d'y mettre fin.

Enkidu entra dans la ville, suivi par la courtisane. La foule se rassembla autour de lui, les habitants palabraient[1] sur son compte :

« Comme il ressemble à Gilgamesh, surtout de profil ! Il est plus petit par son ossature, mais sa musculature est aussi vigoureusement charpentée[2]. Cela est dû à son lieu de naissance, il devait brouter les herbages printaniers et téter le lait des bêtes sauvages. Bien qu'il soit comme un dieu, Gilgamesh a donc désormais un double. »

Au moment où le souverain voulut se rendre à la cérémonie de noce, Enkidu s'immobilisa dans la rue et lui barra la route. De toutes ses forces, il s'élança contre Gilgamesh, bloquant la porte de son pied, et empêcha le souverain d'entrer. Le combat commença, ils s'empoignèrent comme des athlètes, s'arc-boutant tels des taureaux. Dans la lutte, ils démolirent le seuil, arrachèrent les jambages[3] et firent trembler les murs. Au bout d'un moment, Gilgamesh fut immobilisé et mit un genou à terre, sa colère retomba et il céda devant son adversaire. Alors Enkidu lui dit :

« C'est un être d'exception que ta mère, Ninsuna la Bufflesse, a mis au monde. On a élevé ta tête au-dessus de celles des

1. ***Palabraient*** : discutaient longuement.
2. ***Charpentée*** : formée, taillée.
3. ***Jambages*** : piliers qui encadrent une porte.

DOSSIER

autres hommes, même de ceux qu'on s'apprête à marier. Enlil[1] t'a assigné[2] la royauté sur tous les peuples. »

Le monarque[3], ayant entendu ces paroles, comprit qu'il s'agissait du compagnon qui lui avait été annoncé dans ses rêves. Il proposa à Enkidu un pacte d'amitié et décida de le présenter à sa mère.

[Après l'avoir présenté à Ninsuna, Gilgamesh propose à Enkidu d'aller accomplir un exploit.]

« Enkidu, partons ensemble jusqu'à la forêt de Cèdres, ce lieu mystérieux interdit aux humains. C'est là que demeure Humbaba, l'ogre chargé par les dieux des tempêtes d'en être le gardien féroce. Toi et moi, nous irons là-bas, nous couperons les cèdres pour pénétrer dans la forêt et nous abattrons cet être funeste[4], le rayant de la surface de la Terre. »

Questions :

1. Pourquoi Gilgamesh propose-t-il à Enkidu de devenir son ami ?
2. En quoi Gilgamesh ressemble-t-il au héros grec Héraclès ? Pensez aux origines, à la force et aux projets des deux héros.
3. Lequel des deux héros – Héraclès ou Gilgamesh – préférez-vous ? Pourquoi ?

Ninsuna chez Samash

Ninsuna s'inquiète du projet de son fils : les dieux mêmes ne craignent-ils pas d'approcher la forêt de Cèdres ? Sachant que Samash, le puissant dieu Soleil, encourage ce projet, elle va le trouver pour lui demander de protéger son fils.

---

1. ***Enlil*** : dieu des tempêtes. Il régit également le pouvoir des rois.
2. ***Assigné*** : donné.
3. ***Monarque*** : roi.
4. ***Funeste*** : qui apporte la mort.

Ninsuna se retira en ses appartements, se purifia pour pouvoir s'adresser à un dieu supérieur. Elle enfila une robe qui soulignait ses formes, s'orna d'un collier mettant en valeur sa poitrine, posa sur la tête son diadème[1] et, ainsi parée, elle s'élança sur la terrasse du palais. Là, devant Samash, elle disposa un brûle-parfum et lui présenta une offrande. Puis, les mains levées vers lui, elle s'écria :

« Pourquoi, m'ayant attribué Gilgamesh pour fils, lui as-tu assigné une âme aussi infatigable ? Voilà que maintenant tu l'incites à franchir la longue route qui mène à Humbaba, cet être funeste que tu hais. Mais toi, tandis que tu convoleras avec[2] Aya, ta jeune épouse, accepteras-tu de protéger la vie de mon propre fils, de la confier aux gardes de la nuit, aux étoiles du soir ? »

Puis, ayant éteint l'encensoir, elle s'adressa à Enkidu pour lui faire part de ses volontés :

« Puissant Enkidu, tu n'es pas sorti de mon sein, mais à présent je t'adopte solennellement. Au nom des filles de dieux qui entourent Gilgamesh, des prêtresses, des consacrées et des hiérodules[3], je t'adjure de ramener Gilgamesh, mon fils. Sache que c'est pour cette mission que je t'adopte. »

Enkidu répondit

« Je m'engage à protéger mon ami et à le sauvegarder. Ce roi que vous me confiez, je le ramènerai, que le voyage dure un mois ou qu'il dure une année, pour le remettre entre vos mains. »

Questions :

1. Par quels moyens Ninsuna obtient-elle de Samash ce qu'elle lui demande ?

2. Pourquoi adopte-t-elle Enkidu ?

3. À quel épisode de l'*Iliade* cette démarche de la déesse auprès d'un dieu supérieur vous fait-elle penser ?

---

1. ***Diadème*** : sorte de couronne.

2. ***Tu convoleras avec*** : tu aimeras.

3. ***Consacrées, hiérodules*** : sortes de prêtresses.

Le Taureau-Céleste

Portant chacun trois cents kilos d'armes, les deux amis partent pour la forêt des Cèdres – le Liban. Enkidu tue Humbaba à coups de pique. Gilgamesh et lui abattent les plus beaux cèdres et les rapportent à Uruk, avec la tête de l'ogre.
C'est alors qu'Ishtar, la grande déesse, protectrice d'Uruk, s'enflamme de passion pour Gilgamesh, le roi triomphant qu'elle voit parader dans ses plus beaux habits. Mais Gilgamesh repousse les avances de la déesse, lui rappelant le sort malheureux de ses anciens amants. Furieuse, Ishtar grimpe au ciel et supplie Anu, le père de tous les dieux, de créer le Taureau-Céleste pour la venger.

Anu créa donc le Taureau. Il forma toutes ses parties en une seule fois, et remit sa longe[1] à la princesse. Elle la saisit pour faire descendre le Taureau-Céleste sur la Terre. Lorsqu'ils arrivèrent dans Uruk, son souffle augmenta, il alla au bord de l'Euphrate et, en seulement sept lampées, il l'assécha. Au premier ébrouement du Taureau s'ouvrit une crevasse. Cent, deux cents, trois cents guerriers d'Uruk y tombèrent. À sa deuxième ruade s'ouvrit une autre crevasse où cent, deux cents, trois cents habitants d'Uruk furent précipités. Au troisième mouvement du Taureau, une nouvelle crevasse s'ouvrit tout près d'Enkidu qui y tomba jusqu'à la ceinture, mais en sortit d'un bond et parvint à saisir le taureau par les cornes. L'animal lui cracha sa bave au visage et de sa queue épaisse projeta sur lui ses excréments.

« Gilgamesh, mon ami, dit Enkidu, nous nous sommes glorieusement sortis de la forêt de Cèdres, mais comment faire face à ce nouveau péril, comment répondrons-nous aux Anciens d'Uruk ?

– J'ai observé les bêtes du désert, dit Gilgamesh, nos forces suffiront à tuer le Taureau. Je veux extraire son cœur pour l'offrir au dieu Soleil.

---

1. ***Longe*** : corde à laquelle on attache les animaux.

– Je vais le harceler, poursuivit Enkidu, je le saisirai par l'épaisseur de la queue, j'arracherai ses poils de mes deux mains pendant que toi tu te placeras devant lui et, entre le garrot et les cornes, tu le frapperas de ton poignard.» Il s'exécuta. Alors Gilgamesh, en homme de métier, courageux et habile, plongea son coutelas[1] entre son cou, ses cornes et sa nuque. Une fois le Taureau abattu, ils lui arrachèrent le cœur qu'ils déposèrent devant Samash. Puis ils se reculèrent pour se prosterner devant le dieu Soleil, ensuite, ils s'assirent côte à côte, comme des frères.

Ishtar monta alors sur les remparts d'Uruk, ayant revêtu sa tenue de deuil ; elle lança vers le Ciel une longue plainte, et déclara :

«En tuant le Taureau-Céleste, Gilgamesh m'a humiliée.»

Enkidu, l'ayant entendue, arracha une patte du Taureau, puis la lui jeta au visage en disant :

« Si seulement je t'avais attrapée toi aussi, je t'en aurais fait autant et j'aurais accroché ses boyaux à ton bras.»

Questions :

1. Ce texte est-il comique ?
2. À quel monstre de la mythologie grecque le Taureau-Céleste ressemble-t-il ?

La mort d'Enkidu

Furieux de la mort de Humbaba, le dieu Enlil, qui régit le pouvoir des rois, s'en prend à Enkidu. Ce dernier tombe subitement malade et, douze jours plus tard, il ne bouge déjà plus.

Enkidu ne levait même plus la tête. Gilgamesh lui posa la main sur le cœur, il ne battait plus. Alors, comme on le fait pour une jeune épousée, il voila son visage. Il tournait autour de lui

---

1. ***Coutelas*** : grand couteau.

comme une lionne dont les petits sont pris au piège. Il allait et venait, arrachant et semant les boucles de sa chevelure. Il se dépouilla et rejeta ses beaux habits comme une abomination[1].

Lorsque parurent les premières lueurs de l'aube, Gilgamesh lança un appel au pays :

« Forgerons, lapidaires, métallurgistes, orfèvres, ciseleurs, joailliers[2], faites une statue de mon ami comme personne n'en a jamais fait, que le thorax soit en lapis-lazuli[3] et tout le reste du corps en or. Moi, ton ami, ton frère jumeau, je vais te faire reposer sur un grand lit magnifique préparé avec soin et t'allonger sur une couche agréable après t'avoir aménagé, à ma gauche, une place inamovible[4]. Les princes du territoire viendront te baiser les pieds. Je ferai pleurer sur toi les gens d'Uruk, sur toi je les ferai se lamenter. Je plongerai dans le deuil les plus glorieux de mes sujets[5]. Et moi-même, après ta mort, je me laisserai un aspect hirsute[6] et, revêtu seulement d'une dépouille de lion, je vagabonderai dans la steppe.

Lorsque brilla le point du jour, Gilgamesh ôta ses vêtements et revêtit sa tenue de sacrifice, s'habilla de rouge et vit en pensée le fleuve infernal[7]. Gilgamesh ouvrit la porte du palais, il fit porter dehors un grand plateau en bois d'if[8], versa du miel dans une jatte[9] rouge de cornaline[10], emplit de beurre une jatte bleue de lazulite[11], et le tout, dûment apprêté, il le présenta à Samash.

---

1. ***Abomination*** : chose qui inspire l'horreur.
2. ***Forgerons, lapidaires, métallurgistes, orfèvres, ciseleurs, joailliers*** : artisans travaillant les métaux et les pierres précieuses.
3. ***Lapis-lazuli*** : pierre précieuse d'un bleu profond.
4. ***Inamovible*** : qu'on ne peut déplacer.
5. ***De mes sujets*** : des habitants de mon royaume.
6. ***Hirsute*** : mal coiffé.
7. ***Le fleuve infernal*** : le fleuve des Enfers, royaume des morts.
8. ***If*** : arbre de la famille des conifères.
9. ***Jatte*** : vase.
10. ***Cornaline*** : pierre précieuse translucide.
11. ***Lazulite*** : lapis-lazuli (voir note 3 ci-dessus).

Gilgamesh pleurait à chaudes larmes en parcourant la steppe.

« Devrais-je donc mourir moi aussi et, par la mort, devenir pareil à son cadavre ? Non, je le refuse, pas comme Enkidu. L'angoisse envahit mes entrailles. C'est la peur de la mort qui me fait courir le désert. Par crainte de la mort, j'erre dans la steppe. Je refuse un destin si funeste, je vais partir sans tarder rejoindre Ut-Napishtim, fils d'Ubar-Tutu, qui survécut au Déluge. »

Questions :

1. Comment Gilgamesh manifeste-t-il ici sa douleur ?
2. Dans cet épisode, quels sont les points communs entre Gilgamesh et Achille après la mort de Patrocle ?
3. La mort de leurs amis engage-t-elle Gilgamesh et Achille à prendre les mêmes décisions ?

Le Déluge

Gilgamesh traverse la steppe et les montagnes. Il parvient au bord d'une mer qu'il traverse sur la barque d'Ur-Sanabi, le batelier d'Ut-Napishtim : le voici arrivé chez ce dernier, à l'extrémité orientale de la Terre.

Gilgamesh s'adressa à Ut-Napishtim :

« À te bien regarder, je découvre que tu es pareil à moi, seulement tu n'as pas le cœur à te battre. Tu es là, couché sur le dos, à ne rien faire de tes journées. Dis-moi comment, admis à l'assemblée des dieux, tu as réussi à obtenir la vie éternelle ?

– Gilgamesh, écoute-moi bien car je vais te révéler un mystère, une chose réservée aux dieux qu'à toi seul je voudrais dire. Tu connais la ville de Suruppak au bord de l'Euphrate. Cette cité est si ancienne qu'elle a toujours été hantée par les dieux. C'est depuis cet endroit que les grands dieux eurent l'idée de provoquer le Déluge. Les instigateurs de cette décision[1] étaient Anu, leur

1. ***Les instigateurs de cette décision*** : ceux qui encouragèrent cette décision.

père, Enlil le Preux, leur conseiller, Ninurta, leur chambellan[1], et Enmogi, leur contremaître[2], en charge des Eaux. Bien qu'ayant juré devant le conseil de ne rien divulguer, le prince Ea répéta leurs propos. Il ne le fit pas à moi directement, car il avait juré le secret, mais à la paroi de roseaux qui formait le mur de ma maison et derrière laquelle il savait que j'étais assis, et que je pouvais l'entendre. Il lui murmura :

«"Palissade ! Ô palissade ! Haie de roseaux ! Haie de roseaux ! Paroi ! Paroi ! Écoute-moi : fais attention, souviens-toi des conseils de sagesse contenus dans le Traité des instructions de Suruppak, rappelle-toi les enseignements que reçut le fils d'Ubar-Tutu[3] concernant le Déluge ! Démolis ta maison pour te faire un bateau ! Renonce à tes richesses ! Détourne-toi de tes biens, cherche la vie sauve, renonce aux possessions, sauve les vivants. Fais monter à l'intérieur du bateau un rejeton[4] de tout être vivant, embarque avec toi des spécimens[5] de tous les animaux. Quant au navire que tu construiras, que ses dimensions soient équilibrées : de longueur et de largeur identiques ; pour le couvrir prends modèle sur l'Apsu, cette nappe souterraine d'eau douce recouverte, comme une toiture, par la terre."

« Lorsque j'eus compris le message, je dis au dieu Ea :

«"Monseigneur, l'ordre que tu m'as donné, je m'y appliquerai et l'exécuterai. Mais que dirai-je à ma cité, au peuple, à l'armée, aux Anciens ?"

« Ouvrant la bouche, le dieu Ea reprit alors la parole et me parlant cette fois directement, à moi, son serviteur, il me dit :

«"Quant à toi, mon brave, voici ce que tu leur diras : 'Je crains qu'Enlil ne m'ait pris en grippe. Je ne peux donc plus habiter dans votre ville, sur son domaine, car je ne peux plus y poser le

---

1. ***Chambellan*** : ministre du roi.

2. ***Contremaître*** : personne qualifiée qui dirige un chantier ou un atelier.

3. ***Le fils d'Ubar-Tutu*** : Ut-Napishtim.

4. ***Rejeton*** : enfant.

5. ***Spécimens*** : individus représentant une espèce.

pied. Je descendrai en l'Apsu demeurer auprès de Monseigneur Ea. Alors Enlil fera pleuvoir sur vous l'abondance : oiseaux à profusion et poissons par corbeilles. Il vous accordera les moissons les plus riches. Il fera tomber du Ciel sur vous, dès l'aurore, des galettes et, au crépuscule, il déversera sur vous des pluies de froment[1]."

« Quand parurent les premières lueurs du jour, tout le pays se rassembla autour de moi : les charpentiers avec leurs cognées[2], l'artisan en roseaux[3] avec son maillet de pierre ; les ouvriers se mirent au travail, les familles tressèrent des cordages, les enfants des familles les plus riches transportèrent le bitume[4], les plus pauvres, divers petits matériaux. Au bout de cinq jours, j'avais monté l'armature du bateau. Trois mille six cents mètres carrés de superficie, soixante mètres de flanc[5], un périmètre externe carré sur soixante mètres de côté. Puis j'en aménageai l'intérieur. Je créai six plafonds pour le subdiviser en sept étages dont je décomposai le volume en neuf compartiments. Je plantai en ses flancs des chevilles[6] à l'épreuve de l'eau, puis je le pourvus en gaffes[7] et mis en place son armement[8]. Je jetai dix-huit mille litres d'asphalte[9] dans un creuset[10]. Le batelier en mit sept mille deux cents en réserve. Pour nourrir les artisans, je fis abattre des bœufs sacrifiés et chaque jour des moutons. Cervoise[11], bière fine, huile et vin, ces ouvriers en consommèrent autant qu'eau de rivière. On fit une fête comme pour le Nouvel An. Le jour

---

1. ***Froment*** : espèce de céréale.
2. ***Cognées*** : haches.
3. La coque du bateau est faite de roseaux.
4. ***Bitume*** : sorte de colle permettant d'assurer l'étanchéité de la coque.
5. ***Flanc*** : côté.
6. ***Chevilles*** : pièces de bois qui fixent deux planches entre elles.
7. ***Gaffes*** : perches servant à manœuvrer une embarcation.
8. ***Armement*** : matériel nécessaire à la navigation.
9. ***Asphalte*** : bitume (voir note 4 ci-dessus).
10. ***Creuset*** : récipient servant à mélanger.
11. ***Cervoise*** : sorte de bière.

levé, je fis toilette et procédai aux onctions rituelles[1]. Le soir du septième jour, le bateau était achevé, mais comme sa mise à l'eau était fort difficile, on glissa en dessous, de haut en bas, des rondins de roulage[2], jusqu'à ce que ses flancs fussent immergés aux deux tiers. Le lendemain, tout ce que je possédais, tout ce que j'avais d'argent, d'or, d'animaux domestiques, je l'en chargeai. J'embarquai ma famille et ma maisonnée entière, ainsi que les animaux sauvages, gros et petits. Les artisans de tous les métiers, je les y fis monter. Samash m'avait fixé le moment fatidique :

«"Quand je ferai pleuvoir à l'aurore des petits pains et au crépuscule des averses de froment, introduis-toi dans le bateau et obture[3] les écoutilles[4]."»

«À l'heure dite, ce moment fatal arriva. J'examinai l'aspect du temps, il était effrayant ! Je montai dans le bateau et j'en obturai les écoutilles. À celui qui le ferma, Puzus Amurru, un batelier, je fis présent[5] de mon palais avec ses richesses. Lorsque brilla le point du jour, monta de l'horizon une nuée noire dans laquelle tonnait Adad, le dieu de l'Orage. En avant-garde marchaient les chambellans divins, sillonnant les collines et le plat pays. Le dieu Nergal, maître du monde souterrain et de la mort, arracha les vannes[6] célestes et Ninurta, le délégué des dieux sur la Terre, se mit à faire déborder les barrages, tandis que les dieux infernaux projetaient des torches et, de leurs éclats divins, embrasaient toute la Terre. Adad déploya

---

1. ***Onctions rituelles*** : actions consistant à s'enduire d'eau ou d'huile sacrée.

2. ***Rondins de roulage*** : troncs d'arbres sur lesquels on fait rouler le bateau pour le mettre à l'eau.

3. ***Obture*** : ferme.

4. ***Écoutilles*** : ouvertures pratiquées sur le pont, communiquant avec l'intérieur du navire.

5. ***Présent*** : cadeau.

6. ***Vannes*** : portes qui retiennent les eaux d'un barrage ou d'une rivière.

dans le Ciel son silence-de-mort, réduisant en ténèbres tout ce qui était lumineux. Les assises de la Terre se brisèrent comme un vase. Un jour entier, le premier, l'ouragan se déchaîna et le Déluge déferla. L'anathème[1] passa sur les hommes comme la guerre. Personne ne voyait plus personne ; du Ciel, on ne pouvait plus distinguer les multitudes parmi ces trombes d'eau. Alors, devant ce Déluge, les dieux eux-mêmes furent pris d'épouvante. Prenant la fuite, ils grimpèrent jusqu'au plus haut du Ciel, jusqu'au Ciel d'Anu, où, tels des chiots, ils demeuraient pelotonnés et accroupis au sol. Ishtar[2] poussait des cris comme une femme qui enfante. Belitili, la déesse à la belle voix, se lamentait :

« "Ce jour funeste, fallait-il que les hommes se transforment en argile, simplement parce que moi, je me suis prononcée contre eux ? Ah ! S'il n'avait jamais existé, ce jour-là ! Comment ai-je pu dire des méchancetés sur les hommes dans l'assemblée des dieux ? Comment ai-je pu décider de la sorte un pareil carnage et anéantir mes propres gens ? Je ne les aurais donc mis au monde que pour en remplir les océans, pour qu'ils remplissent la mer comme des alevins[3], de la poissonnaille !"

« Et les dieux de haute classe de se lamenter[4] avec elle. Tous les dieux demeuraient prostrés[5], en larmes, au désespoir, leurs lèvres étaient brûlées, saisies par la fièvre et par l'angoisse. Six jours et sept nuits durant, bourrasques, pluies battantes et tornades continuèrent à saccager la Terre. Quand arriva le septième jour, l'ouragan diluvien[6] sévissait comme la lutte à mort qu'on se livre entre combattants. Alors, ce jour-là, la mer se calma et se tut, le mauvais vent cessa. Je regardai alentour :

---

1. ***Anathème*** : condamnation.
2. ***Ishtar*** : déesse de l'amour et de la guerre.
3. ***Alevins*** : jeunes poissons.
4. ***De se lamenter*** : se lamentèrent.
5. ***Prostrés*** : accablés, abattus.
6. ***Diluvien*** : qui a rapport au déluge.

le silence régnait. Tous les hommes étaient redevenus argile et la plaine, liquide comme un toit plat, était devenue un marais. J'ouvris une lucarne, l'air vif me cingla[1] le visage, un chaud rayon frôla ma joue. Je tombai à genoux, immobile, et je pleurai. Mes larmes ruisselaient tandis que je regardais autour de moi les limites de la mer. Au loin émergeait une côte, une langue de terre. Le mont Nisir affleurait à la surface de l'eau ; le bateau y accosta. Le sommet de la montagne le retint, ne le laissant pas repartir. Un troisième, un quatrième jour, il le retint. Lorsque le septième jour arriva, je fis sortir une colombe et la laissai s'envoler. Elle s'en fut, puis revint ; n'ayant rien vu où se poser, elle avait fait demi-tour. Je pris une hirondelle et fis de même. Elle revint elle aussi. Je fis sortir un corbeau. Voyant les eaux s'écouler, il se mit à manger, voltigea, fienta[2] et ne revint pas. Il avait trouvé le retrait des eaux[3], picoré, croassé, il s'était ébroué[4] et ne revint plus vers le bateau. Alors, je les dispersai tous aux quatre vents et fis un banquet pour les dieux. J'allai sacrifier et répandre mon offrande au sommet de la montagne. Je plaçai de chaque côté les sept vases rituels au creux desquels je versai du roseau parfumé, du cèdre et de la myrrhe[5]. Les dieux humant la bonne odeur se pressèrent comme des mouches au-dessus du sacrificateur ordonnateur[6] de leur banquet. À ce moment arriva la grande déesse[7]. Elle brandit le collier de grandes mouches qu'Anu lui avait fait au temps de leurs amours.

«"Dieux ici présents, s'exclama-t-elle, aussi vrai que jamais je n'oublierai les lazulites[8] de ce collier, jamais, non plus, je

---

1. ***Cingla*** : fouetta.
2. ***Fienta*** : fit de la fiente (excrément d'oiseau).
3. ***Le retrait des eaux*** : un endroit d'où les eaux s'étaient retirées.
4. ***Ébroué*** : secoué.
5. ***Myrrhe*** : résine aromatique.
6. ***Ordonnateur*** : organisateur.
7. ***La grande déesse*** : Ishtar.
8. ***Lazulites*** : lapis-lazuli. Voir note 3, p. 173.

n'oublierai ces jours funestes. Je les garderai perpétuellement dans ma mémoire. Que les dieux viennent à l'offrande[1], mais pas Enlil, car, imprudemment, sans réfléchir aux conséquences, il a fait le Déluge et voué mes gens à l'anéantissement."

« À ce moment, le dieu Enlil, arrivant, vit le bateau et se mit en fureur, plein de courroux contre les dieux Igigi[2] :

«"Un homme a donc eu la vie sauve alors qu'il ne devait pas rester un seul survivant au carnage !"

« Ninurta lui dit :

«"Qui d'autre qu'Ea a pu en être la cause puisqu'il peut tout faire, tout entreprendre ?"

« Ea prit la parole :

«"Mais toi, Enlil, le plus sage des dieux, le plus vaillant, comment as-tu pu aussi inconsidérément décider du Déluge ? Fais battre sa coulpe au responsable[3] et reproche son péché au seul pécheur ! Ou alors, au lieu de les supprimer, pardonne-leur, ne les anéantis pas, sois clément[4]. Plutôt que ce Déluge, il eût mieux valu des lions pour décimer les hommes, ou bien des loups, même la famine valait mieux pour affaiblir le pays. Au lieu du Déluge, la peste pouvait surgir et les gens en auraient fait l'expérience, même l'épidémie eût mieux valu pour frapper les hommes. Moi, je n'ai pas dévoilé le secret des grands dieux. À Atra-Hassi, j'ai fait un songe[5], c'est ainsi qu'il a entendu le secret des dieux. À présent, décidez de son sort !"

« Alors Enlil monta sur le bateau, me prit la main et me fit monter avec lui. Il fit aussi venir ma femme et la fit s'agenouiller

---

1. ***Viennent à l'offrande*** : viennent profiter des offrandes du sacrifice offert par Ut-Napishtim.

2. ***Les dieux Igigi*** : les dieux célestes.

3. ***Fais battre sa coulpe au responsable*** : force le responsable à s'avouer coupable.

4. ***Clément*** : généreux, indulgent.

5. Atra-Hassi est l'autre nom d'Ut-Napishtim ; Ea dit qu'il a prévenu le héros en lui envoyant un rêve.

près de moi. Il nous toucha le front et, debout entre nous, nous bénit en ces termes :

«"Jusqu'ici, Ut-Napishtim n'était qu'un être humain, désormais, lui et sa femme seront semblables à nous, les dieux."»

Questions :

1. Pourquoi le dieu Ea s'adresse-t-il à la paroi de roseaux et non directement à Ut-Napishtim ?

2. À quel célèbre patriarche de la Bible Ut-Napishtim vous fait-il penser ?

3. D'un point de vue religieux, quelle est la différence entre ce récit et celui de la Bible ? En quoi cela explique-t-il que les deux textes soient de longueur différente ?

Gilgamesh à l'épreuve

Ut-Napishtim s'adresse à Gilgamesh :

«Mais à présent, Gilgamesh, qui réunira les dieux pour toi afin que comme moi tu obtiennes la vie éternelle ? Essaie seulement de ne pas dormir six jours et sept nuits d'affilée.»

Mais Gilgamesh était à peine accroupi pour s'asseoir qu'il sombra dans un sommeil profond. Ut-Napishtim dit alors à son épouse :

«Regarde-moi ce jeune homme qui prétend à la vie éternelle, le sommeil l'a soudain enveloppé comme un brouillard.»

Elle dit à son mari :

«Secoue-le donc, qu'il se réveille et que, par le chemin qu'il a suivi, il s'en retourne en paix par la porte qu'il a franchie, qu'il s'en retourne en son pays !»

Ut-Napishtim dit à son épouse :

«Les hommes sont méchants, celui-ci sera méchant envers toi. Les hommes sont trompeurs, celui-ci voudra te duper[1] !

---

1. ***Duper*** : tromper.

Prépare-lui donc sa ration quotidienne de pain que tu déposeras à sa portée et tu inscriras sur la cloison[1] le nombre de jours qu'il dormira.»

Elle lui prépara sa ration de pain, la déposa à sa portée et marqua sur la cloison les jours qu'il passait à dormir.

La première portion se durcit, la deuxième moisit, la troisième resta humide, la quatrième eut sa croûte blanchie, la cinquième se piqueta[2], la sixième rassit, la septième était juste à point lorsque Ut-Napishtim secoua Gilgamesh qui se réveilla en disant :

«À peine le sommeil s'est-il répandu sur moi que tu m'as secoué et remis sur pied.»

Mais Ut-Napishtim lui répondit :

«Eh bien, compte tes rations journalières, et je te ferai savoir combien de jours tu as dormi.»

Il compta les rations et découvrit qu'il y en avait sept.

«Que faire alors ? dit Gilgamesh, vers quoi me tournerai-je maintenant ? Le ravisseur est donc maître de moi. La mort s'est installée dans ma chambre à coucher ! Où que me portent mes pas, partout m'attend la mort !»

[Ut-Napishtim ordonne alors à Ur-Sanabi, son batelier, de reconduire Gilgamesh vers son pays.]

Sa femme s'adressa à Ut-Napishtim :

«Gilgamesh est venu jusqu'ici à grand-peine et grande fatigue, ne lui accorderas-tu pas quand même quelque chose au moment où il rentre au pays ?»

À ces mots Gilgamesh manœuvra sa gaffe et rapprocha le bateau du rivage. Ut-Napishtim lui dit :

«Gilgamesh, tu es venu jusqu'ici à grand-peine et grande fatigue, que vais-je t'accorder au moment où tu rentres au

---

1. ***Cloison*** : mur.
2. ***Se piqueta*** : se couvrit de taches.

pays ? Eh bien, je vais te révéler un mystère et te communiquer un secret des dieux : il s'agit d'une plante à la racine semblable à celle du faux jasmin, ses épines, comme celles de la rose, te piqueront la main. Mais si tes mains savent s'emparer de cette plante, tu auras trouvé la vie éternelle.»

Ayant écouté ces paroles, Gilgamesh ouvrit une voie d'eau[1] et laissa choir[2] son équipement. S'étant lesté de lourdes pierres[3], il fut entraîné au fond de l'abîme. Là, il trouva la plante, s'en empara malgré les piqûres, puis, ayant libéré ses pieds des lourdes pierres, la mer le rejeta sur le rivage d'où il venait.

Gilgamesh s'adressa à Ur-Sanabi :

«Regarde, cette plante est un remède contre l'angoisse de la mort. Par elle, l'homme obtient pour lui la guérison et recouvre la vitalité. Je l'emporte avec moi à Uruk où, pour en tester l'efficacité, je la ferai manger par un vieillard. Si son surnom devient le-vieillard-qui-rajeunit, je pourrai à mon tour en manger pour retrouver ma jeunesse.»

Après deux cents kilomètres, ils en mangèrent un morceau. Puis, après trois cents autres, ils bivouaquèrent. Gilgamesh aperçut une fontaine à l'eau fraîche. Il y descendit pour se baigner. C'est alors qu'un serpent flaira l'odeur de la plante. Il sortit furtivement de son terrier et, en un instant, s'empara de la plante magique, puis, s'en retournant, sur-le-champ il rejeta ses écailles et retrouva l'aspect de sa jeunesse.

Dès lors, Gilgamesh s'assit et pleura, les larmes ruisselaient sur ses joues et, tenant la main d'Ur-Sanabi, il lui dit :

«Pour qui mes bras se sont-ils épuisés ? Pour qui le sang de mon cœur a-t-il coulé ? Je ne me suis pas fait de bien. J'en ai fait au serpent, ce lion du sol. Maintenant la masse d'eau est trop profonde pour que j'y retourne. Les pierres que j'avais extraites en creusant la fosse, je les ai laissé couler. Et de toute

---

1. ***Ouvrit une voie d'eau*** : fit un trou dans la barque.

2. ***Choir*** : tomber, couler.

3. ***S'étant lesté de lourdes pierres*** : s'étant alourdi avec des pierres.

façon comment retrouverais-je les indices du site qui m'avaient été donnés ? J'ai laissé la barque au rivage et maintenant, j'en suis trop loin !

Gilgamesh abandonna. Il comprit que sa quête était vaine[1] et qu'il devait renoncer. Sur le chemin du retour à Uruk, les dieux lui envoyèrent un songe qui lui livrait les clefs pour comprendre son sort d'être mortel.

Pour tous les extraits de *Gilgamesh* :
Gilgamesh, adaptation Léo Scheer, © Léo Scheer, 2008.

Questions :

1. Pourquoi, pendant les sept jours où dort Gilgamesh, Ut-Napishtim lui fait-il préparer sa ration quotidienne de pain ?
2. À quel lieu décrit par Virgile ressemble le pays où demeurent Ut-Napishtim et son épouse ? À quel personnage Ur-Sanabi peut-il faire penser ?
3. Quelle créature malfaisante de ce récit joue un rôle analogue dans un célèbre récit de la Bible ?

1. ***Vaine*** : sans espoirs.

Le monde gréco-romain

Chronologie du monde gréco-romain

Événements historiques	Les auteurs et les textes
v. 2000 av. J.-C. : fondation de Troie.	
v. 1950 av. J.-C. : installation en Grèce des Achéens, venus du sud de la Russie.	
1450-1200 av. J.-C. : apogée de la civilisation mycénienne en Grèce : «l'âge des héros».	
v. 1200 av. J.-C. : guerre de Troie.	
1200-800 av. J.-C. : Moyen Âge grec. Disparition des grandes cités et de l'écriture.	
VIIIe siècle av. J.-C. : renaissance grecque (navigation, colonisation, monnaie et alphabet).	
753 av. J.-C. : fondation légendaire de Rome par Romulus.	v. 800 av. J.-C. : existence supposée d'Homère ; composition de l'*Iliade* et de l'*Odyssée*.
Ve siècle av. J.-C. : âge d'or d'Athènes.	v. 700 av. J.-C. : Hésiode, *Théogonie*.
336-323 av. J.-C. : Alexandre le Grand, roi de Macédoine, conquiert un immense empire s'étendant de la Grèce à l'Inde et à l'Afrique.	
264-146 av. J.-C. : guerres puniques entre Rome et Carthage. Rome impose sa puissance sur une grande partie du bassin méditerranéen.	IIIe-IIe siècle av. J.-C. : les savants de la bibliothèque d'Alexandrie fixent le texte de l'*Iliade* et l'*Odyssée* et le divisent en vingt-quatre chants.
146-31 av. J.-C. : dernières conquêtes romaines en Asie et en Égypte.	
29 av. J.-C.-14 apr. J.-C. : César Auguste règne sur l'Empire romain.	29 av. J.-C. : Tite-Live, *Histoire de Rome depuis sa fondation*.
	19 av. J.-C. : Virgile, *Énéide*.
	v. 2 apr. J.-C. : Ovide, *Métamorphoses*.
	Ier-IIe siècle apr. J.-C. : Apollodore, *Bibliothèque*.

Mythologie

Divinités

APHRODITE* (**VÉNUS**)[1] : déesse de l'amour et de la beauté, épouse d'Héphaïstos. Elle est née de la semence d'Ouranos tombée dans la mer, lorsque ce dieu fut châtré par Cronos.

APOLLON* ou **PHÉBUS** : fils de Zeus et de Léto. Jeune, beau et cultivé, c'est le dieu de la lumière, de la musique, du tir à l'arc, de la prophétie, de la guérison et de la peste !

ARÈS* (**MARS**) : fils de Zeus et d'Héra. Dieu de la guerre et amant d'Aphrodite.

ARTÉMIS* (**DIANE**) : fille de Zeus et de Léto, sœur d'Apollon. Déesse de la chasse.

ATHÉNA* (**MINERVE**) : fille de Zeus et de Métis. Personnification de la sagesse, c'est la déesse protectrice d'Athènes, des artisans et des héros intelligents. Guerrière redoutable, elle fixa sur son bouclier la tête de Méduse rapportée par Persée afin de pétrifier ses ennemis.

ATLAS : géant, fils de Japet et frère de Prométhée. Il participa à la lutte des Géants contre les dieux olympiens, et, pour cela, fut condamné par Zeus à porter la voûte du ciel sur ses épaules.

CALYPSO : nymphe, fille d'Atlas, vivant sur l'île d'Ogygie où échoua Ulysse. Elle retint le héros sept ans dans l'espoir d'en faire son époux.

CÉRÈS : voir DÉMÉTER.

CHAOS : gouffre béant, c'est le premier être créé.

CRONOS : fils d'Ouranos et Gaia, c'est le plus jeune et le plus importants des Titans.

DÉMÉTER* (**CÉRÈS**) : fille de Cronos et de Gaia, sœur de Zeus. Déesse du blé et des moissons.

DIANE : voir **ARTÉMIS**.

DIONYSOS* ou **BACCHUS** : fils de Zeus et de Sémélé. Dieu du vin et de la fête, il apporte la joie et délivre des soucis.

ÉOLE : dieu des vents.

GAIA :«Terre» en grec. Fille de Chaos, mère et femme d'Ouranos. Les Grecs se représentaient la Terre comme un disque plat entouré du fleuve Océan.

HADÈS ou **PLUTON** : fils de Cronos et de Rhéa, frère de Zeus. Il règne sur le monde souterrain des morts : les Enfers.

---

1. Les noms des dieux romains sont entre parenthèses : par exemple (VÉNUS). Les astérisques désignent les dieux olympiens : par exemple ATHÉNA*. Ce sont les principaux dieux, qui règnent sur le mont Olympe au côté de Zeus.

Hélios : « soleil », en grec. Fils des Titans Hypérion et Théa, frère de la Lune et de l'Aube. Il parcourt chaque jour la voûte céleste sur son char lumineux et, la nuit, revient vers l'est sur une coupe d'or flottant sur le fleuve Océan.

Héphaïstos* (Vulcain) : fils de Zeus et d'Héra, époux d'Aphrodite. Dieu du feu et des métiers qui utilisent cet élément : forgerons, chaudronniers et potiers. Il est boiteux et laid, mais c'est un artisan génial.

Héra* (Junon) : fille de Cronos et de Rhéa, sœur et épouse de Zeus. Déesse du mariage, elle poursuit de sa haine les maîtresses et les enfants illégitimes de son mari infidèle.

Hermès* (Mercure) : fils de Zeus et de Maia. Dieu des rêves, des routes et des frontières, des marchands et des voleurs ; messager des dieux, il accompagne les âmes des morts aux Enfers. C'est à la fois un grand voyageur et un trompeur redoutable.

Hespérides : filles de la Nuit et de l'Obscurité. Elles vivent à l'Extrême-Occident, près de l'Océan, et gardent un arbre produisant des pommes d'or.

Hestia (Vesta) : fille de Cronos et de Rhéa, sœur de Zeus. Déesse du foyer.

Junon : voir **Héra**.

Jupiter : voir **Zeus**.

Mars : voir **Arès**.

Mercure : voir **Hermès**.

Métis : « prudence », en grec. Fille des titans Océan et Téthys, c'est la première épouse de Zeus et la plus intelligente parmi les dieux.

Minerve : voir **Athéna**.

Neptune : voir **Poséidon**.

Néréides : déesses marines, filles du dieu marin Nérée et de Doris, fille d'Océan.

Nymphes : filles de Zeus, ce sont les esprits des arbres, des montagnes et des rivières. Elles habitent des grottes et passent leur vie à filer, chanter et danser.

Océan : aîné des Titans, fils d'Ouranos et de Gaia, c'est aussi un fleuve immense entourant la Terre (voir **Gaia**).

Ouranos : « ciel » en grec. Fils et époux de Gaia, père des Titans, des Cyclopes et des Cent-Bras.

Pénates : divinités romaines protectrices du foyer.

Perséphone (Proserpine) : fille de Zeus et de Déméter, elle règne sur les Enfers auprès de son époux, Hadès.

Pluton : voir **Hadès**.

Poséidon* (**Neptune**) : fils de Cronos et de Rhéa, frère de Zeus. Il règne sur la mer.

Prométhée : fils du Titan Japet et cousin de Zeus. Créateur et bienfaiteur de l'humanité.

Proserpine : voir **Perséphone**.

Rhéa : fille d'Ouranos et Gaia, épouse de Cronos.

Soleil : voir Hélios.

Thétis : divinité marine, fille de Nérée et de Doris, c'est l'une des cinquante Néréides. Épouse de Pélée et mère d'Achille.

Titans (fém. « Titanides ») : enfants d'Ouranos et Gaia. Ces anciens dieux régnèrent un temps sur le monde, sous la direction de Cronos.

Vénus : voir **Aphrodite**.

Vesta : voir **Hestia**.

Vulcain : voir **Héphaïstos**.

Zeus* (**Jupiter**) : fils de Cronos et de Rhéa. Après avoir vaincu les Titans, il s'impose comme le plus important des dieux et règne sur le ciel et la terre.

Monstres, êtres étranges et fabuleux

Centaures : êtres monstrueux, mi-hommes et mi-chevaux.

Cent-Bras : fils d'Ouranos et de Gaia, ces monstres sont au nombre de trois. Munis chacun de cinquante têtes et de cent bras, ils aident Zeus dans sa lutte contre les Titans.

Cerbère : chien d'Hadès. Il a trois têtes et sa queue est formée par un serpent. Enchaîné à la porte des Enfers, il terrifie les âmes qui y entrent et les empêche d'en ressortir.

Charybde : fille de Poséidon et de Gaia. Trop gourmande, elle dévora des bœufs conduits par Héraclès. Punie par Zeus, elle fut transformée en un monstre marin qui engloutissait les navires près de la côte italienne.

Chimère : animal fabuleux ayant la tête d'un lion, le corps d'une chèvre et l'arrière-train d'un serpent.

Cyclopes : enfants d'Ouranos et Gaia. Géants féroces munis d'un œil unique au milieu du front.

Écho : nymphe des bois et des sources, amoureuse du beau Narcisse.

Gorgones : parmi ces trois sœurs, Sthéno, Euryale et Méduse, seule Méduse est mortelle. Vivant dans l'Extrême-Occident, au pays des Hespérides, elles sont munies d'ailes d'or et de défenses de sanglier, leurs mains sont en bronze, leur tête est entourée de serpents et leurs yeux étincelant transforment en pierre ceux qui les regardent.

Grées : «vieilles femmes», en grec. Ces sœurs des Gorgones sont nées vieilles et n'ont à elles trois qu'un œil et qu'une dent qu'elles se prêtent à tour de rôle.

Harpyes : «ravisseuses», en grec. Femmes-oiseaux qui emportent les enfants et les âmes dans leurs serres aiguës.

Hydre de Lerne : serpent à plusieurs têtes et à l'haleine mortelle élevé par Héra pour servir d'épreuve à Héraclès.

Lestrygons : peuple de géants qui dévoraient les étrangers abordant chez eux.

Lion de Némée : monstre apparenté à l'hydre de Lerne, élevé comme elle par Héra pour servir d'épreuve à Héraclès.

Méduse : voir **Gorgones**.

Minotaure : fils de la reine Pasiphaé et d'un taureau envoyé par Poséidon, ce monstre avait le corps d'un homme et la tête d'un taureau.

Scylla : monstre marin embusqué sur la côte italienne, entouré de six chiens féroces qui dévoraient les marins passant à leur portée.

Sirènes : démons marins à corps d'oiseau et à tête de femme. Par leur musique, elles attiraient les marins contre les rochers de leur île : quand ils avaient fait naufrage, elles les dévoraient.

Géographie des Enfers

Achéron : fleuve que doivent traverser les âmes pour parvenir au royaume des morts.

Champs-Élysées ou **île des Bienheureux** : région des Enfers où séjournent les âmes bonnes avant d'être réincarnées.

Styx : fleuve des Enfers. Chez Virgile, c'est l'équivalent de l'Achéron. Son eau magique rendait invulnérable (voir **Achille**) et servait aux dieux à prononcer un jugement solennel.

Tartare : région des Enfers où sont enfermés et suppliciés les grands criminels.

Le monde de la Bible

Histoire du peuple juif et de la Bible

1800-1600 av. J.-C. : migrations des tribus sémites de la Mésopotamie jusqu'en Palestine (le pays de Canaan). Abraham, Isaac, Jacob.
1500-1250 av. J.-C. : les Hébreux en Égypte.
v. 1250 av. J.-C. : les Hébreux sortent d'Égypte sous la conduite de Moïse (Exode).
v. 1200 av. J.-C. : les Hébreux arrivent en Palestine.
v. 1040 av. J.-C. : Saül, premier roi d'Israël.
1010-970 av. J.-C. : règne de David.
970-932 av. J.-C. : règne de Salomon et construction du Temple de Jérusalem ; composition des premiers textes de l'Ancien Testament.
932 av. J.-C. : division de la Palestine en deux royaumes : Israël au Nord, Juda au Sud.
721 av. J.-C. : fin du royaume d'Israël, vaincu par les Assyriens.
587 av. J.-C. : fin du royaume de Juda : Nabuchodonosor détruit Jérusalem et déporte des milliers de juifs à Babylone.
539 av. J.-C. : édit de Cyrus, autorisant les juifs à rentrer de Babylone.
538-333 av. J.-C. : domination perse sur la Palestine.
333 av. J.-C. : la Palestine est intégrée dans l'Empire grec d'Alexandre.
167-63 av. J.-C. : révolte des frères Maccabée et indépendance de la Judée. Composition des derniers textes de l'Ancien Testament.
63 av. J.-C. : occupation romaine de la Judée.
v. 6 av. J.-C. : naissance de Jésus.
v. 30 apr. J.-C. : mort de Jésus, crucifié sous le gouvernement de Ponce Pilate.
Ier-IIe siècle apr. J.-C. : composition du Nouveau Testament.
70 apr. J.-C. : guerre contre les Romains et ruine du Temple de Jérusalem.
132-135 apr. J.-C. : révolte de Bar Kocheba écrasée par les Romains qui interdisent au peuple juif d'habiter Jérusalem. Dispersion (ou diaspora) d'Israël.

Création maquette intérieure :
Sarbacane Design.

N° d'édition : L.01EHRN000415.N001
Dépôt légal : décembre 2013

Achevé d'imprimer en Italie
par Grafica Veneta S.p.A.